D1247226

DAMALS
in Neubabelsberg...

Jürgen Schebera

DAMALS in Neubabelsberg...

Studios, Stars
und Kinopaläste
im Berlin
der zwanziger Jahre

EDITION LEIPZIG

Gestaltung: Eveline Cange
Lektor: Christina Müller

Printed in Germany
Gesamtherstellung:
Bercker, Kevelaer
ISBN 3-361-00333-4

Schebera, Jürgen:

Damals in Neubabelsberg . . .: Studios,
Stars u. Kinopaläste im Berlin
d. zwanziger Jahre. – 1. Aufl. –
[Leipzig]: Edition Leipzig, 1990. –
144 S.: 100 Ill.
ISBN 3-361-00333-4

Inhalt

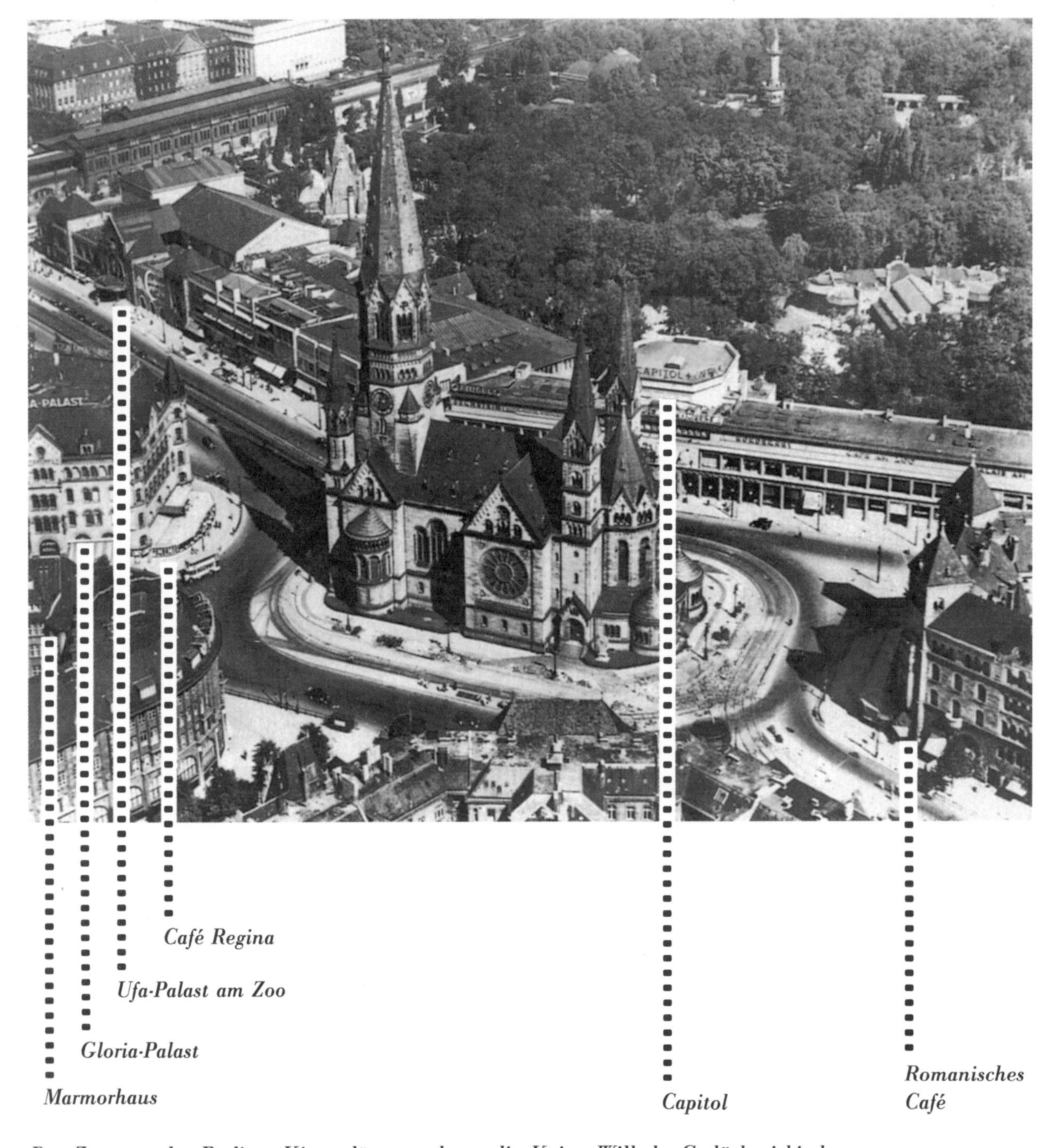

Das Zentrum der Berliner Kinopaläste rund um die Kaiser-Wilhelm-Gedächtniskirche. Aufnahme von 1928

Einleitung

Nur knapp 100 Jahre sind vergangen, seit Max Skladanowsky 1895 im Berliner Varieté «Wintergarten» mit seinem Bioskop die ersten bewegten Bilder in Deutschland vorführte. Eine vergleichsweise kurze Zeitspanne, wenn man auf den Entwicklungsweg der traditionellen Künste – Literatur, Musik, Malerei – zurückblickt. Bereits in den zwanziger Jahren hatte sich der Film zur populärsten Massenkunst des 20. Jahrhunderts entwickelt, ein Aufstieg, der auch mit der raschen Ausbreitung des elektronischen Mediums Fernsehen seit den fünfziger Jahren nicht gestoppt wurde. Im Gegenteil: Gerade im Zeitalter weltweiter Verbreitung von Kabel- und Satellitenprogrammen, da per Knopfdruck bald Dutzende von Sendern aus allen Himmelsrichtungen in jedem Wohnzimmer abrufbar sind, bildet noch immer der Spielfilm die «Hauptsäule» im Programm, markiert die Magneten in der Publikumsgunst. Das traditionelle Kino hat dagegen einen schweren Stand; mit neuen technischen wie künstlerischen Mitteln – von Großbildwand und Dolby-Stereo-Ton bis hin zu aufwendiger internationaler Koproduktion – versucht es, sich im Konkurrenzkampf der optischen Medien zu behaupten, wobei in jüngerer Zeit mehr und mehr die Kooperation mit dem Fernsehen an die Stelle purer Konkurrenz tritt.

Welche Entwicklung hat sich im Verlauf des Jahrhunderts vollzogen! Von der stickigen Atmosphäre des winzigen «Kientopps» der Jahre vor dem ersten Weltkrieg (erst später in «Kintopp» abgewandelt), da man die heftig flimmernden Schwarzweißbilder voller nie gesehener Sensation und Exotik bestaunte, führte der Weg über die ersten Großkinos der zwanziger Jahre, in denen der Tonfilm ab 1929 seine stummen Vorgänger ablöste, bis hin zum heutigen vollklimatisierten Filmpalast, wo in brillanten Farben und modernster Aufnahme- und Wiedergabetechnik die Weltstars der Regie und der Schauspielkunst das Publikum in ihren Bann ziehen.

Berlin war nicht nur am Ende des 19. Jahrhunderts der Geburtsort für das neue Medium in Deutschland, die Stadt stellte auch in den zwanziger und dreißiger Jahren eines der bedeutendsten Filmzentren der Welt dar, sowohl hinsichtlich des modernsten technischen Standards der Produktion als auch der gewichtigen künstlerischen Einflüsse, die vom deutschen Stummfilm und später auch – in freilich geringerem Maße – vom Tonfilm auf die Filmkunst weltweit ausstrahlten. Der Status als «Filmstadt» machte neben der Theater-, Musik- und Literaturszene einen wesentlichen Teil jener internationalen Anziehungskraft aus, die die deutsche Kunstmetropole Berlin damals ausübte. Die Atelieranlagen der Ufa in Neubabelsberg wurden zum größten Filmgelände Europas ausgebaut; in Tempelhof, Weißensee und Johannisthal florierte die Produktion; neuentstandene Filmpaläste rund um die Gedächtniskirche am Kurfürstendamm und in der Tauentzienstraße ebenso wie Hunderte von Kinos in allen Wohnbezirken der Viermillionenstadt präsentierten die neuesten Filme aus aller Welt. 1929 existierten in Berlin 363 Kinos, und 79 Filmgesellschaften in der Stadt produzierten in diesem Jahr 173 abendfüllende Spielfilme. Uraufführungen der neuesten Werke von Fritz Lang oder Friedrich Wilhelm Murnau waren ebenso ein Ereignis wie die Berliner Premieren der Filme eines Charlie Chaplin oder Sergej Eisenstein.

Das vorliegende Buch möchte in der Rückschau die Atmosphäre der «Filmstadt» Berlin in den zwanziger Jahren lebendig machen. Seine Absicht ist es nicht, den zahlreichen Publikationen zur deutschen Filmgeschichte jener Jahre einen neuen Beitrag hinzuzufügen. Nicht die Produkte stehen im Mittelpunkt der Darstellung, obwohl von Robert Wienes *Das Kabinett des Dr. Caligari* bis zu Fritz Langs *Das Testament des Dr. Mabuse* natürlich auch in Berlin entstandene Spitzenleistungen des deutschen Films und von Henny Porten bis Hans Albers die Stars ihren gebührenden Platz erhalten, sondern die Produktions- und Reproduktionszentren der Stadt: die Landschaft der Berliner Studios, Filmgesellschaften und Lichtspieltheater mit ihren maßgeblichen Persönlichkeiten.

Eine Gesamtschau ist dabei weder beabsichtigt noch zu leisten, zu vielfältig stellt sich die Szenerie dar. Aus ersten Anfängen entwickelte sich ab etwa 1910 eine verwirrende Vielzahl von Filmunternehmen mit exotisch klingenden Namen und teilweise nur kurzer Lebensdauer. Noch gegen Ende der zwanziger Jahre waren es in Berlin immerhin fast siebzig! So versucht das Buch denn, in der Auswahl seiner Gegenstände einen charakteristischen Überblick zu vermitteln.

Das erste Kapitel unternimmt einen Ausflug in die Frühzeit der Berliner Filmgeschichte, im Mittelpunkt steht nach Max Skladanowsky vor allem das Schaffen von Oskar Meßter, der als Begründer der deutschen Filmindustrie gelten darf. Danach folgt ein Blick in das Jahrzehnt zwischen 1910 und

1920, als in der Reichshauptstadt und ihrer unmittelbaren Umgebung mit dem Aufbau zahlreicher Studiogebäude die massenweise Filmproduktion ihren Anfang nahm. Gleichzeitig dazu vollzog sich der rasche Ausbau eines stadtübergreifenden Netzes von Lichtspieltheatern, Groschenkinos wie Filmpalästen, denen ein gesondertes Kapitel gewidmet ist. Die Entwicklung der 1917 gegründeten Universum-Film AG, die unter ihrem Firmenzeichen Ufa zum Synonym für den deutschen Film, insbesondere mit Einführung des Tonfilms auch für «Traumfabrik» wurde, findet ebenso ihren Platz im Buch wie verschiedene Berliner Produktionsunternehmen, die sich entschieden von jener «Traumfabrik» abwandten. Vorgestellt werden die engagierte bürgerlich-demokratische Nero-Film AG; die proletarische Produktions- und Verleihgesellschaft Prometheus und das experimentelle Filmstudio 1929, in dem die späteren Hollywood-Regiestars Billy Wilder, Robert Siodmak und Fred Zinnemann ihren Streifen *Menschen am Sonntag* drehten. Auch die größte Innovation des Mediums in den zwanziger Jahren, die Einführung des Tonfilms, der bereits 1922 in Berlin von drei jungen Ingenieuren erfunden worden war und sich ab 1929 rasch durchsetzte, wird in einem Kapitel behandelt.

Unser Streifzug durch die Berliner Filmlandschaft endet mit einem Epilog, der die «Gleichschaltung» des deutschen Films nach der Machtübernahme durch die Nationalsozialisten im Jahre 1933 darstellt. Während Künstler wie Fritz Lang oder Marlene Dietrich das Angebot von Reichspropagandaminister Goebbels entschieden ablehnten, eine führende Rolle im «neuen deutschen Film» zu übernehmen, und Deutschland für immer verließen oder – wie die Dietrich – nicht nach Berlin zurückkehrten, produzierten andere nicht weniger Namhafte bereits die ersten NS-Propagandafilme oder ließen sich mit ihrer Unterhaltungsproduktion von den neuen Machthabern vereinnahmen. Die Berliner Studios der Ufa und der Terra hatten weiterhin Hochkonjunktur, freilich nun im Zeichen einer total gelenkten und weiterhin mit hoher Perfektion arbeitenden nationalsozialistischen Propaganda- und Ablenkungsindustrie.

So ist unser Buch nicht zuletzt auch eine Erinnerung an die großen Jahre der «Filmstadt» Berlin vor Einbruch der faschistischen Nacht über Deutschland.

Berlin – Geburtsstadt des deutschen Films

Oskar Meßter und die Dachateliers in der Frühzeit

Am 1. November 1895 bestaunte das Publikum im Berliner «Wintergarten» erstmals die «interessanteste Erfindung der Neuzeit», wie das Programm offerierte: lebende Bilder, auf eine Leinwand projiziert durch das «Bioskop» der Brüder Max und Emil Skladanowsky. Kurz darauf präsentierten in Paris die Brüder Lumière ihren «Cinematographe». In den USA arbeitete Thomas Alva Edison an seinem «Vitascope». Es waren allesamt technische Varianten einer Erfindung, die ausgangs des 19. Jahrhunderts international «in der Luft» lag: der Kinematographie mit ihren Apparaten für Bewegungsaufzeichnung (Kamera) und deren Wiedergabe (Projektor). So ist denn auch angesichts der vielen fast zeitgleichen Schritte in mehreren Ländern ein Erfinder der Kinematographie nicht zu benennen; diese gilt heute als Summe vieler Einzelentwicklungen.[1] Für Berlin steht die von Max Skladanowsky.

Geboren 1863 als Sohn eines Glasers, welcher mittlerweile seinen Unterhalt durch die Vorführung von «Nebelbildern» (von zwei Projektoren übereinander geworfene Diapositive) verdiente, hatte er verschiedene Lehren bei einem Photographen, einem Glasmaler und in der Theaterscheinwerfer- und Apparatefabrik von Hagedorn absolviert. 1890 bereits zeigte er im Programm von «Castans Panoptikum» in der Linden-Passage einen Projektionsversuch mit «Nebelbildern». 1892 konstruierte Max Skladanowsky seine erste Filmaufnahmekamera, die in sechs Sekunden 48 Einzelbilder festhalten konnte. Damit nahm er am 20. August 1892 auf dem Atelierdach des Photographen Wilhelm Fenz in der Schönhauser Allee 46 seinen Bruder Emil «in lustigen Posen» auf – die erste deutsche Filmaufnahme war damit gelungen. Von den Einzelbildern stellten die Skladanowskys sogenannte Abblätterbüchlein her, die rasch zum Verkaufsschlager in Berlin wurden.

Erst drei Jahre später gelang die Konstruktion eines Doppelprojektors für diese Reihenbilder, die Brüder nannten ihn «Bioskop». Mit ihrer weiterent-

1 Eine ausführliche und reich illustrierte Darstellung der Entwicklung bis zur Erfindung der Kinematographie bietet: Ceram, C. W.: Eine Archäologie des Kinos. – Hamburg, 1965.

wickelten Kamera machten sie 1895 auch bereits in der Gastwirtschaft Sello in Pankow, Berliner Str. 27, erste Innenaufnahmen. «Eines schönen Sommertages fuhr bei uns eine Droschke vor, der die beiden Direktoren des ‹Wintergarten›, Dorn und Baron, entstiegen. Sie hatten von unserer Erfindung gehört. Mit großem Interesse sahen sie sich die Bioskopfilme an und engagierten auf der Stelle das ganze Programm mit 2250 Mark als Debüt für den Monat November.»[2]

Das Programm für den «Wintergarten» bestand aus sieben kurzen Szenen, unter anderem *Bauerntanz zweier Kinder, Boxkampf zwischen dem Artisten Mr. Delaware und seinem Känguruh* und *Familiengymnastik.* Die Presse war von der neuen Attraktion begeistert: «Der ingeniöse Techniker benutzt hier ergötzliche Momentphotographien und bringt sie in vergrößerter Form zur Darstellung, aber nicht starr, sondern lebendig. Wie er das macht, das soll der Teufel wissen!»[3]

1896 gingen die Brüder Skladanowsky mit ihrer Darbietung auf eine Deutschlandtournee, im Sommer des gleichen Jahres nahmen sie nochmals in Berlin einige Szenen auf. Doch ihr Reihenbild-«Bioskop»-Verfahren konnte sich nicht durchsetzen, da sie ein außergewöhnlich breites 60-mm-Rollfilmformat verwendeten, das anstelle der Perforation mit eingestanzten

Mit dieser Annonce warb der «Berliner Lokal-Anzeiger» am 1. November 1895 für die erste öffentliche Vorführung «lebender Bilder» durch Max Skladanowsky im Varieté «Wintergarten».

2 So erinnert sich der Sohn von Max Skladanowsky. Zit. nach: Lebendige Leinwand: 60 Jahre Film. – Berlin, 1958. – S. 10.

3 Staatsbürger-Zeitung, Berlin (1885–11–05). Zit. nach: Narath, Albert: Max Skladanowsky. – Berlin (West), 1970. – S. 7.

Metallösen arbeitete und nur für extrem kurze Sequenzen tauglich war. So beendeten die Brüder 1897 ihre kinematographische Arbeit. Die nunmehr aus Frankreich nach Deutschland gelangende Technik der Firmen Lumière und Pathé war industriereif und hatte sie überholt. Dennoch bleibt ihnen der Nachruhm, die erste *öffentliche* Vorstellung mit lebenden Bildern überhaupt veranstaltet zu haben.

Es war ein anderer Berliner, der der Kinematographie in Deutschland tatsächlich zum Durchbruch verhalf: Oskar Meßter. 1866 als Sohn eines selbständigen Mechanikers geboren, absolvierte er seine Lehre in den Werkstätten des Vaters, in der Französischen Str. 52, war bald selbst konstruktiv auf optischem Gebiet tätig und produzierte sich – wie der junge Max Skladanowsky – mit selbstgebauten «Nebelbildgeräten» als Schausteller. 1895 erkannte Meßter die Möglichkeiten des Edisonschen Versuchs mit dem «Cinetoscope». Ein Jahr später gehörte er zu den ersten Besuchern, die in Berlin kinematographische Vorführungen aus Paris miterlebten. Meßter: «Am 26. April 1896 fand in einem kleinen Saal des Hauses Unter den Linden 21 erstmals die Vorführung ‹lebender Photographien› mit einem Projektor statt, der nach der Pariser Verkaufsfirma Gebr. Isolar ‹Isolatograph› genannt wurde. Wenige Tage nach dem ‹Isolatograph› hatte auch der Lumièresche ‹Cinematographe› in Berlin Friedrich-/Ecke Mohrenstraße mit Vorführungen begonnen.»[4]

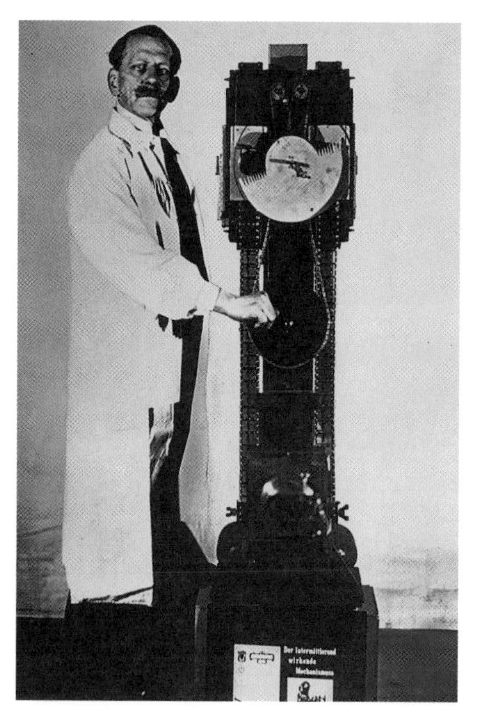

Max Skladanowsky mit seinem Projektionsapparat «Bioskop»

«Der elegante Filmoperateur der Stummfilmzeit» überschrieb der Pressefotograf im Jahre 1911 dieses Foto.

4 Meßter, Oskar: Mein Weg mit dem Film. – Berlin, 1936. – S. 10.

In Windeseile entwarf Meßter daraufhin einen eigenen Projektionsapparat, dessen erstes Exemplar er im Juni 1896 verkaufen konnte und von dem er in den Folgejahren, mit ständigen Verbesserungen, mehrere hundert Stück absetzte. Auch eine Aufnahmekamera wurde von ihm entwickelt. «Damit waren Ende des Jahres 1896 in Deutschland alle Voraussetzungen geschaffen zum Aufbau einer Kino- und Filmindustrie», hieß es später nüchtern-resümierend bei Meßter.[5]

Zu dieser Zeit hatte er bereits den Saal Unter den Linden 21 übernommen und zeigte dort «Lebende Photographien mittelst Kinetograph Messter». Ein erhaltenes Programm offerierte pro Vorstellung sechs Szenen: 1. *Serpentin-Tanz*, 2. *Eisenbahn*, 3. *Straße in Paris*, 4. *Am Strande*, 5. *Gestörte Nachtruhe* und 6. *Schnellmaler*.

Schon ein Jahr später, 1897, legte die Firma «Osk. Meßter Optisches u. Mechanisches Institut – Berlin NW, Friedrichstraße 94/95, gegenüber dem Central-Hotel» einen 115 Seiten starken illustrierten Katalog vor, der neben Kameras und Projektoren auch bereits 84 «kinetographische Nummern» anbietet: Straßenszenen und historische Aufnahmen, Kultur- und Propagandabilder sowie humoristische Szenen. Einige dieser «Nummern» bezog Meßter aus Paris, die meisten jedoch nahm er bereits mit seiner Technik in Berlin auf. Im Gebäude Friedrichstraße 94/95 entstand Ende 1896 nicht nur das erste «Dachatelier», wie der für die Zwecke von Filmaufnahmen ausgebaute und vollverglaste Dachboden des Hauses nun genannt wurde, sondern auch im 4. Stock ein «Kunstlichtatelier» mit einer vier Meter breiten und zwei Meter tiefen «Aufnahmebühne», die von vier Bogenlampen, jede für 50 Ampere Gleichstrom, ausgeleuchtet wurde. Hier drehte Meßter erste Spielszenen, jede nur etwa 20 Filmmeter lang, mit Titeln wie *Der Kuß auf dem Maskenball* oder *Bade zu Hause* sowie nachgestellte historische Szenen wie *Napoleon übergibt bei der Schlacht von Sedan Bismarck seinen Degen* oder *Friedrich der Große beim Flötenspiel*. «Die Ansprüche waren bescheiden, heute mag man über diese Aufnahmen im Kunstlichtatelier ebenso lächeln wie über ihren primitiven Inhalt», schrieb Meßter später.[6]

Diese Werbekarte von Oskar Meßter für seine «lebenden Photographien» (Herbst 1896) enthielt in der Mitte ein originales Film-Einzelbild.

5 Ebenda, S. 12.

6 Ebenda, S. 96 f.

Die Kunstlichtaufnahme aber blieb noch für viele Jahre eine Ausnahme, infolge der noch zu schwachen Beleuchtungstechnik war man hauptsächlich auf das Sonnen- bzw. Tageslicht angewiesen. Der genannte Meßter-Katalog von 1897 verzeichnete z. B. als Nummer 1: «Am Brandenburger Tor zu Berlin. Belebtes Straßenbild zur Mittagszeit von ‹Unter den Linden› Berlin. Im Hintergrund sind die Säulen des Brandenburger Tores sichtbar.» Bald lieferte Meßter auch erste aktuelle Berichte (z. B. 1897 *Der Kaiser beim Stapellauf auf der Vulkanwerft in Stettin*, 1899 *Der Kaiser bei der Eröffnung des Dortmund-Ems-Kanals*), Vorläufer der von ihm 1914 begründeten ersten deutschen Wochenschau, der «Meßter-Woche».

1901 verlegte Meßter seine Firma in die Friedrichstraße 16, hier baute er erstmals zwei ganze Geschosse sowie den Dachboden des Hauses zu einem großen, nach Süden gelegenen Dachatelier aus, das auch über entsprechende Nebenräume für Dekorationen und Requisiten verfügte sowie über Garderoben für Darsteller. «Damit, daß ich mit der ‹Filmerei› nach der südlichen Friedrichstraße zog, begann der Geschäftscharakter dieser Straße sich zu ändern, es entstand das erste Berliner ‹Filmviertel›», schreibt er und schildert zugleich die Schwierigkeiten in den Dachateliers: «Natürlich waren wir von der Sonne abhängig. Bei den inzwischen länger werdenden Aufnahmen mußte ein ‹Sonnenkieker› melden, ob das nächste Wolkenloch uns die Sonne für die Zeit der Aufnahme freigeben wird. Leider irrte er sich besonders bei schnell ziehenden Wolken häufig, und die Aufnahme mußte wiederholt werden. Bei diesen Glasateliers mußten natürlich die Dekorationen jedesmal umgebaut werden, wenn die für Vormittag angesetzten Aufnahmen erst des Nachmittags stattfinden konnten, weil die Sonne dann nicht mehr im Osten stand.»[7]

Ab 1903 experimentierte Meßter mit der Verbindung von Grammophon und Kinetograph. Er konstruierte das «Biophon» und schuf damit «Meßters Tonbilder», zumeist Opern- und Operettenszenen, bei denen Schallplatte und Filmstreifen parallel und annähernd synchron liefen. Diese «Tonbilder» erfreuten sich bis nach 1910 einiger Beliebtheit, danach jedoch verschwand das Verfahren, da zum einen die Lautstärke der mechanischen Grammophone nicht ausreichte, zum anderen bei der zunehmenden Länge der Bildstreifen das dauernde Wechseln der Platten störte. In den meisten Kinematographentheatern des frühen Stummfilms fungierten ohnehin Klavierspieler und Erklärer, vereinzelt auch schon ein kleines Orchester, als akustische Begleiter des Films.

Meßters Firma expandierte mittlerweile weiter: 1907 errichtete er in den beiden oberen Etagen eines ehemaligen Fabrikgebäudes in der Blücherstraße 31/32 das bisher größte Dachatelier Berlins mit einer Grundfläche von 14 mal 24 Metern und einer Höhe von 7,5 Metern, den «ersten Filmgroßbetrieb von Berlin», wie er stolz schrieb. Betrug bis 1903 die Maximallänge

7 Meßter, Oskar: Mein Weg mit dem Film. – Berlin, 1936. – S. 57.

Oskar Meßter im Jahre 1904 mit dem von ihm konstruierten Projektor «Modell XII»

Die Aufnahme von den Dreharbeiten zu einem «Meßter-Tonbild» (Szene aus der Donizetti-Oper *Die Regimentstochter*) von 1910 macht deutlich, wie die Schauspieler synchron zur laufenden Grammophonplatte agieren mußten. Links an der «Sprechmaschine» Oskar Meßter, an der Kamera Carl Froelich

eines Films 60 Meter, weil die Augen das Flimmern während der Vorführung nicht länger ertragen konnten, so machte die verbesserte Projektionstechnik danach auch längere Filme möglich. Aus Frankreich und Dänemark kamen ab 1905 die ersten etwa 600 Meter langen Spielfilme nach Berlin. Oskar Meßter, bisher Produzent, Regisseur und Kameramann in einem, gründete daraufhin 1907 die Meßter-Film GmbH und arbeitete fortan ausschließlich als Produzent. «Es stand fest, daß nur die Qualität die Zukunft des Films bestimmen würde», schrieb er später. Davon war jedoch 1907 weit und breit noch nichts zu spüren. Für die Frühzeit des Stummfilms trifft auch in Berlin zu, was der Filmhistoriker Jerzy Toeplitz festhält: «Obwohl das heutige Kino eine synthetische Kunst ist, so wäre es ein Irrtum anzunehmen, die Erfindung des Kinos sei in Verbindung mit künstlerischen Schaffensprozessen erfolgt. Mit dieser Neuheit beschäftigten sich nicht etwa die Künstler, sondern zunächst die Unternehmer. Das Kino wanderte nicht auf den Parnaß, sondern fand seinen Sitz in den Jahrmarktsbuden und entwickelte sich zunächst zur Attraktion.«[8] Der Kulturhistoriker Walter Panofsky beschreibt die Situation sehr anschaulich: «Die Überraschung über etwas noch nie Gesehenes, die Freude an der Bewegungserfülltheit dieser Bilder überhaupt, ließ in den ersten Jahren die technische Unzulänglichkeit der meisten Vorführungen vergessen. Es kam zunächst gar nicht darauf an, *was* man vorgeführt bekam, sondern *daß* man einen Vorgang in seiner naturangeglichenen Bewegung sah. Trotz ihrer Unvollkommenheit haben die ersten Filmstreifen eine fast unvorstellbare Suggestivkraft besessen. Allerdings verlor sich dieser Reiz der Neuheit sehr bald, und die Filmhersteller mußten sich nach Filmstoffen umsehen, mußten statt eines Bewegungsablaufes einen Handlungsablauf verfilmen... Was sich allerdings stofflich auf diesen Filmmetern zeigte, war Kitsch, tränenrührende Sentimentalität, brutale Sensation, war erotischer Wunschtraum und obskures Bildgemengsel. Es war, als seien die Urfiguren des mimischen Spiels in moderner Gewandung wieder auferstanden, Kasperle und Hanswurst hatten die Kleidung schnippchenschlagender Detektive an und die gehörnte Kappe des betrogenen Ehemanns, hatten übersinnliche Zauberkräfte phantastischer Apparaturen oder fochten den ewig tolpatschigen Zweikampf mit der Tücke des Objektes aus... Es gab kein Thema, das nicht schon im ersten Jahrzehnt des Kinos verfilmt worden wäre. Neben dem mehr oder weniger harmlosen Unsinn bemächtigte man sich schon frühzeitig der literarischen Vorbilder, Meßter drehte 1902 eine *Salome* von 60 Metern, 225 Meter standen 1907 einem *Räuber*-Film zur Verfügung, der gar noch ein Happy End aufwies. Man muß sich hierzu noch die unbeholfene, übersteigerte Darstellungsweise jener Anfangsjahre vorstellen, die große Gestik, das Pathos im Stile der Oper, die übertriebenen Gebärden, die man wegen der Stummheit der Szene noch steigern zu müssen glaubte.»[9]

8 Toeplitz, Jerzy: Geschichte des Films. – Bd. 1. – Berlin, 1972. – S. 13.

9 Panofsky, Walter: Die Geburt des Films: Ein Stück Kulturgeschichte. – Würzburg, 1943. – S. 61 f.

Dennoch entwickelte sich die neue Branche bei steigendem Zuspruch des Publikums äußerst dynamisch. Auch Meßters Konkurrenten errichteten nun ihrerseits große gläserne Dachateliers: 1907 entstand im Hinterhaus der Chausseestraße 123 das Bioscop-Atelier der seit 1897 bestehenden Deutschen Bioscop GmbH; 1899 eröffnete die Firma B.B.-Film in der Steglitzer Berlinickestraße 11 ihr B.B.-Atelier; 1912 folgte in der Blücherstraße 12 das Duskes-Atelier der seit 1908 arbeitenden Duskes Kinematographen- und Film-Fabriken GmbH; im gleichen Jahr bezog die von Jules Greenbaum gegründete Deutsche Vitascope GmbH ihr Dachatelier in der Lindenstraße 32–34. Meßters ältester Konkurrent, die schon 1896 gegründete Deutsche Mutoskop- und Biograph GmbH, arbeitete seit 1904 in Lankwitz, Zietenstraße 10, im ersten zu ebener Erde gebauten Berliner Glasatelier.

Parallel zur Produktion florierte die Distribution: Zahlreiche Filmverleih-Firmen belieferten die Kientopp-Besitzer mit neuem Material, natürlich wöchentlich. Wie das aussah, mag die folgende Bestellung eines Verleihers bei der Deutschen Bioscop aus dem Jahre 1910 belegen: «Bitte schicken Sie mir für die nächste Woche zwei- bis dreihundert Meter Liebesidylle. Falls Sie einen Unglücksfall am Lager haben, so möchte ich ihn ebenfalls für nächste Woche fest bestellen. Wenn *Der deutsche Kaiser in Rom* nicht mehr als ein Kilo wiegt, können Sie ihn gleichfalls beipacken. Hingegen wünsche ich *Die Krönung des Kaisers von Montenegro* erst im nächsten Monat.»[10]

1907 erschien die erste Fachzeitschrift der Branche, «Der Kinematograph», ein Jahr später folgte dann bereits die «Lichtbild-Bühne». 1910 gab

Außenaufnahmen für das Kurz-Melodram *Die Diebin* (Länge 35 Meter) fanden 1903 unweit der Missionskirche in der Berliner Hasenheide statt.

10 Zit. nach: Riess, Curt: Das gab's nur einmal. – Hamburg, 1958. – S. 31.

es in Berlin schon Dutzende von Produktionsfirmen und 159 feste Kinotheater. In seinem Roman *Blut und Zelluloid* hat Heinrich Eduard Jacob die exotischen Firmenbezeichnungen beschrieben: «So waren sie, langsam fortschreitend, von der Leipziger Straße aus in die Friedrichstadt gekommen, wo sie zur Filmplantage wurde. Hier kettete sich Büro an Büro. Mythologische Tiernamen machten hier aufeinander Jagd, und sogar die Sternbilder hatten hier ihre Vertretungen. Siegmund Fuchs und Moritz Gans hatten hier eine Niederlassung. Ein Stockwerk über der Firma Lamm weidete der Pantherfilm. Orbis hatte den Sirius zum Nachbarn; dieser wieder die Cassiopeia. Paradies-Film befand sich über der Indonesian-Company. Tür an Tür bestahlen sie sich und konkurrierten sich in den Konkurs.»[11] Der Schriftsteller Alfred Döblin schilderte im Jahre 1909 das Kino als «Theater der kleinen Leute»: «Der kleine Mann, die kleine Frau pendeln abends durch die Straßen, stehen schwatzend unter den Eisenbahnbrücken; sie wollen gerührt, erregt, entsetzt sein; mit Gelächter losplatzen. Nunmehr schwärmen sie in die Kientopps. Im Norden, Süden, Osten, Westen der Stadt liegen sie; in verräucherten Stuben, Ställen, unbrauchbaren Läden; in großen Sälen, weiten Theatern. Die feinsten geben die Möglichkeiten dieser Photographentechnik zu genießen, die fabelhafte Naturtreue, optische Täuschungen, dazu kleine Spaßdramen; sehr delikat. Oh, diese Technik ist sehr entwicklungsfähig, fast reif zur Kunst. ... Erst die kaschemmenartigen im Norden aber haben ihr besonderes Genre. Panem et circenses sieht man erfüllt: Das Vergnügen notwendig wie Brot; der Stierkampf ein Volksbedürfnis. Einfach wie die reflexartige Lust ist der auslösende Reiz: Kriminalaffären mit einem Dutzend Leichen, grauenvolle Verbrecherjagden drängen einander; dann faustdicke Sentimentalitäten: der blinde sterbende Bettler und der Hund, der auf seinem Grabe verreckt; ein Stück mit dem Titel *Achtet die Armen* oder *Die Krabbenfängerin*; Kriegsschiffe; beim Anblick des Kaisers und der Armee kein Patriotismus; ein gehässiges Staunen.»[12]

Inmitten dieser Szene war es wiederum Meßter, der ab 1910 systematisch den ersten wirklichen Star des frühen deutschen Stummfilms aufbaute – Henny Porten. Sie hatte bereits seit Ende 1907 gemeinsam mit ihrer Schwester als Kleindarstellerin in mehreren «Meßter-Tonbildern» mitgewirkt, ehe sie 1910 ihr erfolgreiches Debüt in dem Spielfilm *Das Liebesglück einer Blinden* hatte. Später erzählte die Porten, wie es dazu kam: «Meine Schwester schrieb für mich diesen Film. Mit dem Manuskript gingen wir gemeinsam zu Meßter und lasen es dort vor. Herr Meßter fand das Stück sehr gut, sagte aber, er wisse nicht, wer diese Rolle spielen solle. Rosa wies auf mich. Herr Meßter lachte laut. Das kränkte mich natürlich in meiner Ehre, und ich schlug ihm vor, doch einmal eine Aufnahme zu versuchen. Diese erste Aufnahme wurde gemacht und war von großer Wirkung. Der Film wurde gedreht, ich spielte die Hauptrolle, und als dann der Film erschien, hatte er

11 Jacob, Heinrich Eduard: Blut und Zelluloid. – Berlin, 1930. – S. 9.

12 Döblin, Alfred: Das Theater der kleinen Leute. – In: Das Theater. – Berlin (1909) 1. – S. 191 f.

Blick in das Dachatelier Blücherstraße 12 während der Dreharbeiten zu dem 1912 entstandenen Meßter-Film *Das Todestelephon*

einen so außerordentlichen Erfolg, daß die Theaterbesitzer immer wieder schrieben, ob nicht bald wieder ein Film herauskäme mit der blonden Darstellerin dieser Blinden.»[13]

Meßter erkannte seine Chance: Henny Porten erhielt einen Mehrjahresvertrag, der sie verpflichtete, pro Jahr in mindestens zehn Filmen die Hauptrolle zu übernehmen. Diese wurden nun in rascher Folge hergestellt, und das Publikum strömte in die Kinos. Von dem 1911 gedrehten Film *Des Pfarrers Töchterlein* konnte Meßter bereits 150 Kopien absetzen. Andere Titel der frühen Jahre, in denen Henny Porten meist die «Verfolgte Unschuld» darzustellen hatte, lauteten etwa *Adressatin verstorben*, *Gefangene Seelen*, *Die kitzlige Jungfrau*, *Komteß Ursel* oder *Claudi vom Geiserhof* – allesamt heute vergessene «Jugendsünden» des Kinos. Erst mit dem 1920 gedrehten Ernst-Lubitsch-Film *Anna Boleyn* begann die eigentliche künstlerische Laufbahn der Schauspielerin Henny Porten. Entdeckt und populär gemacht aber hatte sie Oskar Meßter, und erst als die 1910 von Paul Davidson gegründete Projektions AG Union aus Dänemark die Schauspielerin Asta Nielsen nach Berlin holte, erwuchs ihr eine ernsthafte Konkurrenz.

Das Filmdebüt von Emil Jannings erfolgte 1914 auch bei Oskar Meßter: «Wie ich zum Film kam? Man könnte sagen: aus Dalles. Mir ging es in den ersten Jahren der Berliner Zeit finanziell ziemlich mäßig. Alle Leute rieten mir daher zu filmen, um meine hoffnungslosen Finanzen etwas aufzubessern. Das leuchtete mir ein, und ich begann sofort, unsere geliebte Friedrichstraße abzugrasen, in der ja so ziemlich alle Filmgesellschaften sitzen. Natürlich fand ich zunächst überall verschlossene Türen... Der Mensch entgeht aber seinem Schicksal nicht. Zufällig lernte ich Robert Wiene kennen, der sich einige Jahre später durch die Inszenierung des *Caligari* Weltruhm erwerben sollte. Damals hatte er für Meßter den Film *Fromont jr. Rießler sen.* zu drehen. Ich bekam das Angebot, als Partner von Erna Morena den Rießler zu spielen. Ich war ein gemachter Mann! Als ich das erste Mal das kleine Atelier in der Blücherstraße betrat, hatte ich regelrecht Lampenfieber. Noch nie glaubte ich mich so dumm angestellt zu haben. Ich war vollkommen hilflos. Mir fehlte das Wort als mimische Ergänzung. Am nächsten Tag zeigte man mir meine erste Filmszene. Der Eindruck war niederschmetternd. Das sollte ich sein? So dumm sah ich aus? So blöde bewegte ich mich? Ich war einfach verzweifelt, doch Regisseur und Operateur versicherten mir, daß sie mit meiner Leistung außerordentlich zufrieden seien, daß ich das Zeug zu einem genialen Filmschauspieler hätte. – Nun, offenbar haben die Leute doch etwas mehr von der Sache verstanden als ich. Mein erster Film wurde in der Tat ein Erfolg. Der zweite, *Die Ehe der Luise Rohrbach*, als Partnerin Henny Porten, war noch besser.»[14]

Im gleichen Jahr, da Jannings bei Meßter das erste Mal vor der Kamera stand, wurde bei der Firma Continental-Kunstfilm eine Figur erfunden, die

13 Porten, Henny: Wie ich wurde. – Berlin, 1919. – S. 25 f.

14 Zit. nach: Lorant, Stephan: Wir vom Film. – Berlin, 1928. – S. 115.

Die Stars des frühen deutschen Stummfilms – Henny Porten und Emil Jannings – spielten zusammen in dem 1915 gedrehten Meßter-Film *Die Ehe der Luise Rohrbach*, einem «Melodram der Luxusklasse».

den gängigen Melodramen ein neues, äußerst kassenwirksames Genre zur Seite stellte. Die Rede ist vom Detektivfilm und der 1914 begonnenen Serie um die Abenteuer von Stuart Webbs. «Genauso betont englisch wie der Name war auch der Charakter dieser dem Sherlock Holmes nachempfundenen Figur; es fehlten weder die kurze Shagpfeife noch die Mütze und die großkarierten Tweedstoffe; es fehlte allerdings die subtile Deduktionsmethode des Mr. Holmes. Stuart Webbs ersetzte den Sherlockschen Geist durch Muskelkraft und durch die Gabe, immer im richtigen Moment zur Stelle zu sein, die fürchterlichsten Gefahren zu überleben und jeden Verbrecher zur Strecke zu bringen.»[15] *Die geheimnisvolle Villa* war der erste Stuart-Webbs-Film, den Regisseur Joe May und der Schauspieler Ernst Reicher (von ihm stammten auch die Drehbücher) gemeinsam drehten, der außergewöhnliche Erfolg führte rasch zu weiteren Streifen, unter anderem *Der Mann im Keller* und – wohl der berühmteste Webbs-Film – *Das Panzergewölbe.* Bei der Beschreibung des Phänomens jener Filme wird man unwillkürlich an die James-Bond-Faszination der siebziger Jahre erinnert: «Stuart Webbs bricht alle Kassenrekorde. Nicht mit Schauspielkunst, sondern mit seinen Tricks. Sperrt man ihn auf einem Dach ein, so holt er aus seiner Westentasche eine Strickleiter. Läßt man ihn verschnürt wie ein Paket im Keller zurück, öffnet er seine Fesseln, indem er sie an einer Feile reibt – die er ganz zufällig parat

Detektivfilme erfreuten sich bald größter Beliebtheit. Das Plakat zu dem Lasko-Film von 1919 *Der Dolch des Malaien* stammt von Josef Fenneker.

15 Fraenkel, Heinrich: Unsterblicher Film. – München, 1956. – S. 34.

16 Riess, Curt: Das gab's nur einmal. – Hamburg, 1958. – S. 55.

hat. Steckt man ihn in einen Sack, der ins Wasser geworfen wird, so treibt der Sack alsbald an der Oberfläche; die Verbrecher haben nämlich vergessen, daß Stuart Webbs immer einen Schwimmgürtel bei sich trägt. Er trägt überhaupt immer alles bei sich, was er gerade braucht.»[16]

Der Boom der Detektivfilme hielt bis zu Beginn der zwanziger Jahre ungebrochen an, nach der Trennung von Joe May 1916 machte Reicher seine Webbs-Filme allein weiter, während May als Konkurrenz den Detektiv Joe Deebs, gespielt vom Bühnen-Bonvivant Max Landa, erfand und gleichfalls in einer ganzen Serie von Filmen einem Massenpublikum präsentierte.

Inzwischen aber neigte sich die wildbewegte Jugendzeit der Kinematographie ihrem Ende zu. Die Dachateliers in Berlin wurden von erheblich größeren «Glashäusern» abgelöst, und erstmals wandten sich wesentliche künstlerische Kräfte dem neuen Medium zu, das ab etwa 1913 nunmehr tatsächlich die Bezeichnung Film verdient.

Berliner Ateliers: Die Glashäuser

Neubabelsberg, Weißensee, Tempelhof und anderswo

Es waren die Deutsche Bioscop-Gesellschaft und ihr technischer Leiter, der Kameramann Guido Seeber, von denen 1911 ein entscheidender Schritt zur Ausweitung der bisherigen Filmproduktion in Berlin unternommen wurde. In ihrem Dachatelier Chausseestraße 123 entstanden gerade die ersten Asta-Nielsen-Filme, bei denen der Däne Urban Gad, Ehemann der Nielsen, Regie führte. Die Schauspielerin berichtet: «Im Sommer 1911 drehten wir acht Filme, für die mich die Bioscop verpflichtet hatte, und zwar noch in dem kleinen Atelier in Berlin. Urban Gad schuf einen Rahmen um mich, wie ihn der Film bis dahin noch nicht so geschmackvoll gesehen hatte. Sein Einleben in die unzähligen Interieurs von acht sehr verschiedenen Filmen verband sich mit seiner Fähigkeit, Manuskripte zu verfassen, die den Forderungen des Films gerecht wurden. Das erhob ihn während der Jahre vor dem ersten Weltkrieg in Deutschland zum Ersten seines Faches.»[17]

Der Schauspieler Paul Bildt erzählt von seiner ersten Begegnung mit Asta Nielsen: «Eines Tages wurde ich angerufen und gefragt, ob ich mit der Nielsen filmen wollte. Damals war mir ihr Name noch kein Begriff. Ich machte mich also auf den Weg zum Atelier, mußte einen langen, halbdunklen Gang passieren und sah plötzlich einen großen Reisekorb, der da vor einem Raum stand. Als ich näherkam, sah ich, daß auf dem Korb eine Puppe kauerte, lebensgroß, so, wie man sie vom Panoptikum her kannte. Sie trug ein schwarzes Trikot, von dem das kreideweiße Gesicht mit den schwarzen Ponys sich gespenstisch abhob. Die Augen waren geschlossen, die Lider trugen lange, dunkle Wimpern. Furchtsam ging ich an der reglosen Gestalt vorbei und trat in den Raum, wo mich der Regisseur Urban Gad erwartete. Wir bekamen rasch Kontakt zueinander, da rief Gad plötzlich: ‹Asta!› Ich drehte mich um, sah, wie die Puppe auf dem Koffer draußen langsam die Augen öffnete, sich aufrichtete und auf uns zutrat. Mir zitterten die Knie, das Herz schlug mir

17 Nielsen, Asta: Die schweigende Muse. – Rostock, 1961. – S. 137.

bis zum Hals, als die Gestalt vor uns stand und ich ihre großen, unsagbar schönen Augen sah, den schneeweißen, zarten Teint – die Puppe war Asta Nielsen!»[18]

Sehr bald wurde bei der Arbeit deutlich, daß das Dachatelier mit seiner räumlichen wie technischen Beschränkung für solche neuen Ansprüche nicht mehr ausreichte. Guido Seeber überzeugte den Direktor der Bioscop, Erich Zeiske, ein neues großes Atelier außerhalb der Stadt zu errichten, das völlig im Freien stehen sollte, um eine optimale Ausnutzung des Sonnenlichts zu ermöglichen. Er hat authentisch berichtet, wie es zu Gründung dessen kam, was ein reichliches Jahrzehnt später die größte Filmstadt Europas werden sollte – der erste Filmbau in Neubabelsberg: «Die mit allen Mitteln betriebene Umschau nach geeigneten Plätzen brachte mich unter anderem auch nach Neubabelsberg, wo auf einem völlig verwüsteten und keinen ordentlichen Zugang aufweisenden Grundstück ein seit längerer Zeit unbenutztes fabrikähnliches Gebäude stand. Ringsherum befand sich ein ziemlich weites, völlig freies Feld, so daß die Sonne in der Tat von früh bis spät das Grundstück beschien.» Im November 1911 erwarb die Bioscop das Gelände, das alte Fabrikgebäude wurde renoviert, und als Anbau entstand in den Wintermonaten 1911/12 ein ebenerdiges Glasatelier mit 15 mal 20 Meter Grundfläche. Seeber: «Trotz einer vorübergehenden Kälteperiode von etwa 20 Grad gelang es, die Fertig-

«Das Wunderbarste an der kinematographischen Kunst» – so lautete das Urteil der «Vossischen Zeitung» über die Schauspielerin Asta Nielsen. Das Szenenfoto zeigt sie in *Die Film-Primadonna*, einem Streifen der zweiten «Nielsen-Serie», die Regisseur Urban Gad 1913 in Neubabelsberg für die Bioscop drehte.

18 Zit. nach: Weinschenk, H. E.: Schauspieler erzählen. – Berlin, 1941. – S. 39.

stellung dieser ersten Neubabelsberger Anlage im Februar 1912 durchzuführen, so daß die Aufnahmen zu dem ersten Film der zweiten Asta-Nielsen-Serie *Der Totentanz* bereits in diesem Monat begonnen werden konnten. Das bisherige Atelier in der Chausseestraße wurde im März desselben Jahres aufgegeben. Bei der damaligen Hochkonjunktur der Asta-Nielsen-Filme, die nicht nur in Deutschland, sondern auch im Auslande einen ungeheuren Absatz fanden, wurden die Kopiereinrichtungen bald zu klein. Bereits im ersten Jahre des Betriebes trachteten wir also danach, die Arbeitsräume zu vergrößern. Es wurde ein weiterer Geländestreifen mit etwa 6000 Quadratmeter gekauft. Auf diesem wurde anhand meiner Erfahrungen ein zweites Gebäude mit direkt angebautem Atelier errichtet. Es wurde eine zweite Kopieranstalt geschaffen und ein komplettes zweites Aufnahmeatelier. Diese 1913 in Betrieb genommene Anlage vermochte auch nicht ganz den Anforderungen zu genügen, da man oft Dekorationen nun gern im Freien errichtete und zur Vermeidung von Reisen kleinere Freibauten auf einem dazu geeigneten Gelände zwecks späterer Wiederverwendung stehenlassen wollte. Mir gelang es, ein angrenzendes Grundstück von 40 000 Quadratmeter zu erwerben. Der erste Bau, der auf diesem neuerworbenen Gelände errichtet wurde, war ein Zirkus, von dem man allerdings nur drei Achtel des Umfangs aufbaute. Dieser fast historisch gewordene Zirkus, den man auch an andere Gesellschaften vermietete, hat fast 10 Jahre gestanden. Auch der erste wirklich große Freibau, eine orientalische bzw. arabische Straße, hat ebenfalls die vorgenannte Lebensdauer überstanden und bildete den Hintergrund für viele Filme.»[19]

Ab 1913 begann man in Berlin vom Film auch als Kunst zu sprechen. Nicht nur, daß sich in diesem Jahr (mit dem von Kurt Pinthus herausgegebenen *Kinobuch*, der ersten Sammlung literarischer Filmszenarien) führende Schriftsteller dem neuen Medium zuwandten, die Tatsache, daß die Projektions AG Union mit Max Reinhardt den führenden «Regiezauberer» des Berliner Theaters für ihren Streifen *Die Insel der Seligen* (Buch: Arthur Kahane) verpflichten konnte, führte zu einer bedeutenden Aufwertung des Films und bewirkte, daß die besten Schauspieler des Deutschen Theaters und anderer führender Häuser ihre bisherige Abstinenz gegenüber der Kamera aufgaben. Darunter befand sich auch Werner Krauss, der 1916 von Regisseur Richard Oswald für die Rolle des Intriganten Dapertutto in *Hoffmanns Erzählungen* erstmals ins Atelier geholt wurde. Ausgemacht war die nicht unbedeutende Tagesgage von 40 Mark. Als die erste Szene abgedreht war, nahm Oswald den Schauspieler beiseite und flüsterte begeistert: «Ich gebe Ihnen 50!»[20]

Bei der Deutschen Vitascope GmbH entstand 1913 der erste deutsche «Autorenfilm» *Der Andere* (Drehbuch: der damals bekannte Bühnenautor Paul Lindau nach seinem gleichnamigen erfolgreichen Stück, Regie: Max Mack, mit dem berühmten Albert Bassermann in der Hauptrolle). Von noch

19 Seeber, Guido: Als Babelsberg entstand. – In: Filmtechnik. – Halle (1930) 3. – S. 2 f.

20 Nach: Riess, Curt: Das gab's nur einmal. – Hamburg, 1958. – S. 67.

größerer Bedeutung aber waren zwei Projekte, die die Deutsche Bioscop 1913 und 1914 in Neubabelsberg realisierte und die heute von den Filmhistorikern übereinstimmend als «die Quellen der nationalen deutschen Filmkunst»[21] angesehen werden: *Der Student von Prag* (Regie: Stellan Rye) und *Der Golem* (Regie: Henrik Galeen).

Beide Filme erhielten ihre entscheidende Prägung durch den Stilwillen des Kameramannes Guido Seeber und des Hauptdarstellers Paul Wegener. Sie suchten die Rangerhöhung zur Kunst in den eigenen filmischen Mitteln: eine bereits zum expressionistischen Film weisende Dekor- und Bildgestaltung; die organische Verbindung von Atelier- und Außenaufnahmen, welche in Prag entstanden; und eine filmgemäß verknappte Darstellerführung. Das Drehbuch zu *Der Student von Prag* stammte von Hanns Heinz Ewers, «als Erfinder eines vulgärexpressionistischen Romanstils voller Sex, Sadismus und Décadence à la *Alraune* bekannt, später als Autor eines *Horst-Wessel-Films* berüchtigt».[22] Damals zählte er zu den filmbegeisterten Literaten und erkannte die neuen künstlerischen Potenzen des Mediums: «Was mich reizte: die Möglichkeit, endlich, endlich einmal des ‹Wortes› entraten zu können. Wenn es wahr ist, daß das Auge, daß die leise Geste der Hand dasselbe – und manchmal mehr – sagen kann als das schönste ‹Dichterwort›, dann ist die Möglichkeit da, auch ohne Worte die Seele sprechen zu lassen. So wagte ich's. Ich schrieb ein Stück für den Rollfilm, *Der Student von Prag* hieß es. Ich schrieb es für Paul Wegener, und mit ihm arbeitete ich lange Monate daran, in Prag und hier in Berlin. Es soll ein Prüfstein sein, es soll mir beweisen, daß der Rollfilm – so gut wie die Bühne – große und gute Kunst bergen kann.»[23]

Paul Wegener, von dem auch das Drehbuch zum *Golem* stammte, faßte die Erfahrungen beider Filme 1916 in seinem Vortrag «Neue Kinoziele» so zusammen: «Der eigentliche Dichter des Films muß die Kamera sein. Die Möglichkeit des ständigen Standpunktwechsels für den Beschauer, die zahllosen Tricks durch Bildteilung, Spiegelung und so fort, kurz: die Technik des Films muß bedeutsam werden für die Wahl des Inhalts. Nach einigen mißglückten Filmen, über die ich lieber schweigen will, hatte ich meine Idee des Golem, dieser seltsamen mythischen Tonfigur des Rabbi Löw aus dem Kreis der Prager Ghettosage, und mit ihm kam ich noch mehr in das Gebiet des rein Filmmäßigen hinein – hier ist alles aufs Bild gestellt, auf ein Ineinanderfließen einer Phantasiewelt vergangener Jahrhunderte mit gegenwärtigem Leben –, und immer klarer wurde mir die eigentliche Bestimmung des Films, die Wirkung allein aus der photographischen Technik heraus zu suchen. Rhythmus und Tempo, Hell und Dunkel spielen im Film eine Rolle wie in der Musik.»[24]

Im gleichen Jahr wie das erste Atelier der Bioscop vor den Toren der Stadt waren 1912 in Berlin zwei ähnliche Bauten entstanden: das Rex-Atelier in

21 Henri Langlois, zit. nach: Brennicke, Ilona; Hembus, Joe: Klassiker des deutschen Stummfilms. – München, 1982. – S. 24.

22 Ebenda.

23 Ebenda, S. 27.

24 Paul Wegener, Vortrag «Neue Kinoziele», gehalten am 24. April 1916 in der Berliner Singakademie. Zit. nach: Hätte ich das Kino! Die Schriftsteller und der Stummfilm: Ausstellungskatalog. – Marbach, 1976. – S. 118 f.

Wedding, Sellerstraße 35 (mit 15 mal 22 Meter Grundfläche etwa ebenso groß wie das erste Neubabelsberger Glashaus), und das Treumann-Larsen-Atelier am Teltowkanal in Lankwitz, Kaiser-Wilhelm-Straße 131–139. Im Atelier der Rex-Film GmbH sollten ein Jahrzehnt später zwei der wichtigsten «Kammerspielfilme» des deutschen Stummfilms entstehen: *Scherben* (1921) und *Sylvester* (1923), beide in der Regie von Lupu Pick, dem Inhaber dieser Firma.

1913 brachte mit neuen Atelierbauten die Etablierung zweier weiterer wichtiger Berliner Filmstandorte noch vor dem ersten Weltkrieg – Weißensee und Tempelhof. Die Deutsche Vitascope GmbH eröffnete im Oktober die beiden je 300 Quadratmeter großen ebenerdigen Glashäuser des May-Ateliers mit folgender Ankündigung: «Durch die ganz außergewöhnliche Vergrößerung des Absatzes unserer Films [man verwendete damals noch die englische Pluralform, ebenso wie man von ‹der› Kino sprach] in allen Teilen der Welt sahen wir uns veranlaßt, unsere Fabrikation nach Berlin-Weißensee, Franz-Josef-Straße 5–7, zu verlegen, welche Fabrikationsräume am letzten Montag ihrer Benutzung übergeben wurden. Die Anlage ist die größte Deutschlands.»[25] Nur durch ein schmales Grundstück getrennt, errichtete die Continental-Kunstfilm GmbH wenig später unmittelbar neben dem May-Atelier das Glashaus des Lixie-Ateliers. Hier sollte 1919 der wohl berühmteste deutsche Stummfilm entstehen, Robert Wienes expressionistische Be-

Das vollverglaste Union-Atelier in Berlin-Tempelhof wurde 1913 in Betrieb genommen.

25 Lichtbild-Bühne. – Berlin (1913–10–14).

In Trockenräumen, wie diesem der Vitascope-Kopieranstalt (Aufnahme 1920), erfolgte auf großen Holztrommeln die Trocknung des kopierten Filmmaterials.

gründung der «dämonischen Leinwand» (Lotte H. Eisner) *Das Kabinett des Dr. Caligari.*

Waren die bisher genannten Ateliers Glasbauten zu ebener Erde mit entsprechenden Nebengebäuden, so entstand zur gleichen Zeit noch ein anderer Typ: das sogenannte Filmhaus. Bei ihm lag das eigentliche vollverglaste Aufnahmeatelier im Obergeschoß, während sich Werkstätten, Büros, Garderoben, Dekorationsfundus und Kopierräume darunter im Erdgeschoß bzw. in zwei Etagen befanden. Zwei solche «Filmhäuser» entstanden 1913 in Tempelhof, ein weiteres in Marienfelde. Die Literaria-Film GmbH eröffnete in der Tempelhofer Oberlandstraße im Frühjahr 1913 ihr Literaria-Atelier, kurz darauf baute die Projektions AG Union auf dem Nachbargrundstück ihr gleichgroßes Union-Atelier. Die Dimension beider «Filmhäuser» war neu und ungewöhnlich: «Dieses wuchtige Gebäude umfaßte neben großen Fundus- und Werkstättenbauten in seinen unteren Etagen gleichfalls Kopieranstalt, Bureaus und Ankleideräume. Darüber lag, durch drei Treppen erreichbar und mit einem Lastenfahrstuhl, der einen großen Möbelwagen komplett fassen konnte, ausgestattet, die riesige Glashalle mit einem Flächenraum von zirka 800 Quadratmetern, mit Versenkung, Wasserbassins, fahrbarer Kranbrücke und einem für die damalige Zeit glänzenden Lampenpark und Dekorationsfundus.»[26]

Beide «Filmhäuser» wurden rasch zu einem neuen Wahrzeichen von Tempelhof, wie ein Berichterstatter 1913 es beschrieb: «Wenn man von der Tempelhofer Chaussee herkommt, sieht man schon aus weiter Ferne zwei

26 Lichtbild-Bühne: Luxusnummer «30 Jahre Film». – Berlin, 1924.

seltsame Gebilde emporragen, die wie riesenhafte Vogelkäfige aussehen. Es sind zwei hochgelegene, sehr große Hallen, die vollkommen von Glaswänden eingeschlossen sind und auch ein gläsernes Dach haben. Frei kann von allen Seiten das Licht hier hineinfluten, und man kann sich gleich denken, daß diese Anlagen jenem Gewerbe dienen, für das der Grundsatz gilt: ‹Am Lichte hängt, zum Lichte drängt doch alles!›, der Filmfabrikation.»[27]

In Marienfelde entstand gleichfalls 1913 in der Wilhelm-von-Siemens-Straße 46/47 das Eiko-Atelier der Eiko-Film GmbH; mit einer Grundfläche von 25 mal 40 Metern und einer Bauhöhe von 90 Metern das bisher größte «Filmhaus» der Stadt. Es verfügte bereits, wie auch die anderen eben entstandenen Ateliers, über immer größere Scheinwerferausrüstungen für Kunstlichtaufnahmen. Der Regisseur Max Mack drehte mehrere Filme im Eiko-Atelier. Er hat die Arbeitsatmosphäre dieses frühen Studiobetriebs sehr anschaulich geschildert: «Mit einem etwas schüchternen Gruß reiche ich dem Leser die Hand – zum Eintritt ins Glashaus! Von oben, durch ein im höchsten Maße lichtdurchlässiges Glasdach, durch die vier gläsernen Seitenwände prallt das grellste Sonnenlicht herein. Man hat zwar die Berieselung in Betrieb gesetzt, die Arbeiter sind in Hemdsärmeln, die Regisseure und ihre Gehilfen in langen Malerkitteln – gucken wir nicht darunter! –, aber als wildeste Hitzeakkumulatoren wirken dann wieder die unseligen Schauspieler, die im blendendsten Sonnenschein, durchstrahlt von ein paar Jupiterlampen, abendliche Gesellschaft mimen. Diesen tropischen Charakter des Ateliers vergißt man nie, wenn man einmal im Hochsommer im Glashaus war. Es ist der wesentlichste Eindruck. Man sieht nichts, gar nichts: aber auf einmal stößt man gegen eine eiserne Kette, die von der Decke herabhängt, oder der Fuß prallt gegen ein Kabel, das sich unsichtbar am Boden herumschlängelt; oder man fühlt die Gegenwart unbegreiflicher Mächte durch zusammenstürzende Kulissen.

Auf den ersten Blick wirkt das Atelier wie eine Mischung aus einer großen Apparatefabrik und einem wenig wählerischen Trödlerladen. Möbel stehen in den Ecken herum, irgendwo ein mittelalterlicher Flügel. Und von der Decke hängt eine Batterie braunlackierter Lampen, Scheinwerfer starren drohend mit ihren elektrischen Augen. Aber im Augenblick, wo aufgebaut wird, erweist sich dieses fragwürdige Chaos als ein höchst zweckmäßig geordneter Organismus. Die eisernen Kräne ersparen menschliche Arbeit. Die heimtückischen Kabel setzen das Atelier unter Licht, tragen im Augenblick in die dunkelste Kulisse den erfrischendsten Sonnenschein! Bald erweist sich, daß da in dem großen Raum nicht ein Zentimeter Holz ist, der nicht von höchster Bedeutsamkeit ist. Selbst die eiserne Brücke, die an der Decke schwebt, trägt einen Operateur, der von oben kurbelt und die Menschen in einer abenteuerlichen Vogelperspektive verzeichnet auf den Film bannt. Man bekommt Respekt vor dieser Riesenmarkthalle aus Glas, in der eine

27 Lichtbild-Bühne. – Berlin (1913 – 06 – 14).

Bereits für den frühen Sensationsfilm wurden solche aufwendigen Trickkonstruktionen errichtet. Die Originalbildunterschrift von 1920 lautet: «Um den Absturz eines brennenden Flugzeuges darzustellen, wird die Maschine auf einem Gerüst angezündet.»

Schar von Menschen in ewiger Tätigkeit auf und ab läuft. Nur diese Dimensionen ermöglichen es, ganze Kornfelder im Atelier aufzubauen, und es ist durchaus nichts Außergewöhnliches, daß lange Straßenfronten quer durchs Atelier gebaut werden. Roß, Mann und Wagen – das spielt bei den modernen Einrichtungen des Ateliers keine Rolle. Es würde selbst eine Elefantenherde gutwillig ertragen.

Eine neue, selbständigen Gesetzen unterworfene Welt baut sich im Glashaus auf, nicht so pathetisch, nicht so geschäftig wie die Welt da draußen, aber immer amüsant und mitreißend: für den, der sie sich ansieht wie für den, der arbeitseifrig mitspielt.»[28]

Tempelhof erhielt 1919 noch einen dritten Atelierkomplex: Die National-Film GmbH errichtete in der Borussiastraße 45–49 ein fast 1200 Quadratmeter umfassendes Gebäude, das als National-Glashaus bzw. Froelich-Atelier bekannt wurde. Als technischer Fortschritt galt, daß die große Glashalle in zwei Ateliers unterteilt werden konnte (ein großes und ein kleines), was die gleichzeitige Arbeit an verschiedenen Einstellungen ermöglichte, aber auch – durch Herausnehmen der Trennwände – die Rückverwandlung in eine geräumige Halle für größere Szenerien. Der Regisseur Carl Froelich drehte hier zahlreiche Filme für die National-Film.

Ebenfalls 1919/1920 entstanden als Novum für die Filmstadt zwei von Ateliers getrennte ausgedehnte Außenanlagen in bzw. um Berlin, da der damals besonders beliebte Monumentalfilm nie gesehene Riesenbauten und Auftrittsflächen für das Heer der Kleindarsteller erforderte. In den «Rauhen Bergen» von Steglitz-Südende, einer Hügelkette, die in den «Gründerjahren» am Ende des 19. Jahrhunderts Baumaterial für die rasch wachsende Stadt geliefert hatte, waren ausgedehnte Sandkuhlen entstanden. Eine davon, die Buchmannsche Grube, wurde 1920 zur «ägyptischen Filmstadt» ausgebaut. Nach Entwürfen der Architekten Ernst Stern und Kurt Richter ließ die Europäische Film-Allianz einen 78 Meter hohen und 64 Meter breiten Pharaonen-Palast sowie eine 30 Meter hohe Sphinx errichten. In dieser Kulisse drehte Ernst Lubitsch 1921 den Monumentalfilm *Das Weib des Pharao*. Dieser «Spannungsfilm. Ägypterfilm. Massenfilm. Viertens: Kanonenfilm», wie ihn Alfred Kerr bezeichnet hat[29], war von der gleichen Machart wie Lubitschs vorangegangene Erfolgsepen *Madame Dubarry* (1919) und *Anna Boleyn* (1920), «nur legte man die Sphinx noch etwas großzügiger an als den Tower von London und rekrutierte ein paar Tausend Komparsen mehr, um ein Hollywood, das sich gerade zu *Quo vadis?* und dem *Dieb von Bagdad* rüstete, gehörig einzuschüchtern. In mehrmonatiger Bauzeit ließ man Paläste, Tempel und das sagenhafte Theben sowohl im Studio wie am Spreeufer und in den ‹Rauhen Bergen› bei Steglitz auferstehen, gestützt auf Expertenwissen von Archäologen und Museumsherren, gleichzeitig aber immer bestrebt, alles ins Zeitlos-Epochenferne zu stilisieren.»[30] Danach wurde das

28 Mack, Max: Die zappelnde Leinwand. – Berlin, 1916. – S. 94 f.

29 Zit. nach: Film ... Stadt ... Kino ... Berlin / hrsg. von Uta Berg-Ganschow u. Wolfgang Jacobsen. – Berlin (West), 1987. – S. 194.

30 Brennicke, Ilona; Hembus, Joe: Klassiker des deutschen Stummfilms. – München, 1983. – S. 86.

Die Monumentalbauten für den 1920 gedrehten Film *Das Weib des Pharao* wurden auf dem Außengelände der «Rauhen Berge» in Berlin-Steglitz errichtet.

Für den Joe-May-Film *Herrin der Welt* entstand 1919 in Woltersdorf bei Erkner eine «Klein-Asien-Außendekoration».

Gelände noch gelegentlich bis 1923 von verschiedenen Gesellschaften genutzt.

Wesentlich länger, fast ein Jahrzehnt, bestand das Außengelände in Woltersdorf bei Erkner. Der Regisseur der erfolgreichen Stuart-Webbs-Filme, Joe May, betrieb seit 1915 die May-Film GmbH. Im Trend des Monumentalfilms erwarb er 1919 ein großes Grundstück an der Rüdersdorfer Chaussee in Woltersdorf und ließ dort von dem Filmarchitekten Martin Jacoby-Boy riesige Außenbauten für seinen «Großfilm» *Die Herrin der Welt* errichten. Dieser bestand eigentlich aus acht Filmen, die als selbständige Teile gedreht wurden und seine Ehefrau und Hauptdarstellerin Mia May allen nur denkbaren Gefahren in den exotischsten Gegenden der Erde aussetzten, wie die Titel ahnen lassen: *Die Freundin des gelben Mannes, Die Geschichte der Maud Gregaards, Der Rabbi von Kuang-Fu, König Makombe, Ophir, die Stadt der Vergangenheit, Die Frau mit den Milliarden, Die Wohltäter der Menschheit* und schließlich *Die Rache der Maud Fergusson.* Jeder Teil war immerhin um die 2000 Meter lang, das ganze wurde in reichlich anderthalb Jahren abgedreht! Im «Woltersdorfer China» und «Woltersdorfer Afrika» entstanden die ausgedehnten Außenaufnahmen, während die Interieurs von Joe May in seinem Weißenseer Glashaus aufgenommen wurden.

Nebenan entstand bei der Konkurrenz im Lixie-Atelier zur gleichen Zeit gerade der expressionistische *Caligari*-Film, dem gleichfalls der Ruf des Ungewöhnlichen vorausging. An das Verhältnis zwischen den beiden Nachbarn erinnert sich der Filmarchitekt Hermann Warm, der zusammen mit Walter Reimann und Walter Röhrig die *Caligari*-Kunstwelt entworfen hatte: «Aus dem benachbarten, Joe May gehörenden Filmatelier schlichen sich manchmal Beauftragte ein, man wollte voller Spannung und Wißbegier erfahren, was die Verrückten da anstellten. Weißensee bei Berlin war ja damals Klein-Hollywood.»[31]

Und Woltersdorf war Klein-Asien! Nach dem Riesenerfolg von *Herrin der Welt* bereitete Joe May schon 1921 sein nächstes Projekt vor, wie die Presse zu berichten wußte: «Auf dem Mayfilmgelände der Filmstadt Woltersdorf sind zu den bisherigen Bauten neue hinzugekommen, die die alten, die bereits zu verwittern drohen, nicht nur durch Neuheit und Frische überstrahlen, sondern auch in ihrer Aufmachung noch um Vieles großartiger sind. Der Platz einer indischen Stadt ist von Jacoby-Boy für *Das indische Grabmal* entworfen. Man empfindet sich tatsächlich minutenlang am Ufer des Ganges. Ein Doppelturm, der schätzungsweise 20 Meter hoch ist und zwischen seinen unteren Absätzen ein Verbindungstor enthält, einen Palasteingang. Im Winkel anschließend ein Marstall, auf der anderen Seite das sogenannte Tor der Jäger. Weiterhin eine Freitreppe, die von eleganten Bogen teilweise überdacht ist, terrassenförmig zum See hinunterführend; die vierte Seite des Platzes mündet in eine Basargasse aus.»[32]

31 Caligari und Caligarismus. – Berlin (West), 1970. – S. 15.

32 Der Film. – Berlin (1921 – 05 – 22).

Das indische Grabmal (mit seinen zwei Teilen *Die Sendung des Yoghi* und *Der Tiger von Eschnapur*) wurde ebenfalls zu einem großen Kinoerfolg. Joe Mays «im Aufwand überwältigende Dekorationen schaffen die Vorstellung von exotischen Schauplätzen, die Handlungen sind aufgeladen mit großen Gefühlen und aktionsreichen Verwicklungen, die Montage sorgt für das nötige Tempo».[33] Neben den beiden Stummfilmstars Mia May und Lya de Putti spielte im *Indischen Grabmal* ein Schauspieler die männliche Hauptrolle, der 1917 von Regisseur Richard Oswald für die Leinwand entdeckt worden war und in den Folgejahren zu einem der wichtigsten Protagonisten des stummen deutschen Films werden sollte: Conrad Veidt. Sein leicht dämonisches Aussehen verhalf ihm zu zahlreichen Rollen sowohl in seichten Unterhaltungsproduktionen als auch – beginnend mit dem *Caligari*-Film 1919 – in Werken, die heute zu den Klassikern der Filmkunst zählen. 1921, zur Zeit seiner Arbeit bei Joe May in Weißensee und Woltersdorf, hat er über sein «Leben vor der weißen Wand» reflektiert: «Briefe, Kritiken und die öffentliche Meinung brachten mich zum Nachdenken über den Film. Was ging mit ihm vor? Über die Wirkung ist nicht zu reden. Sie langte von weit oben bis tief unten, vom Villenviertel bis in die Vorstadt, auf Frauen, Männer, Kinder. Das Feld war also da. Wie es bebauen? Ich merkte, daß die Arbeit beim Film bedeutend schwerer als beim Theater ist, schon deshalb, weil der große anreizende Faktor des Theaters fehlt: das Fluidum des Publikums. Es ist nicht ganz einfach, in einer großen Halle voll Hitze, Staub, Lärm, Arbeitsrufen und dem Hin und Her gehender und kommender Menschen auf den Ruf ‹Herr Veidt!› sofort und fast automatisch jenes Maß der Suggestion spielen zu lassen, das allein zum Erfolg führen kann... So unwandelbar wie meine Liebe zu Max Reinhardt ist mein Glaube an den Film und vor allem an die Zukunft des Films. Ich weiß sehr wohl, daß wir heute nicht am Ende stehen. Nicht nur darin steckt die Bedeutung des Films, daß seine Erzeugung ein Heer von Arbeitern, Angestellten, Kaufleuten und Künstlern ernährt, sondern er

Der populäre Sensationsdarsteller Luciano Albertini sprang in einer spektakulären Szene, die 1915 für den Phoebus-Film *Die Heimkehr des Odysseus* am Berliner Osthafen gedreht wurde, von einem Kran zum anderen.

33 In Berlin produziert: 24 Firmengeschichten / hrsg. von Michael Esser. – Berlin (West), 1987. – S. 5.

hat meines Erachtens auch eine große zukünftige künstlerische Bedeutung. Das Theater hat dreihundert Jahre gebraucht, ehe es soweit war wie heute – warum erwartet man vom Film, daß er in den zwanzig Jahren seines Bestehens die letzte Vollkommenheit erreicht? Der Film ist noch nicht. Er wird.»[34]

Waren alle bisher genannten «Glashäuser» Neubauten entsprechend den Bedürfnissen einer vorwiegend auf das Tageslicht angewiesenen Filmproduktion, so erlaubte die Weiterentwicklung der Beleuchtungstechnik ab etwa 1919 in rasch zunehmendem Maße in den Ateliers Kunstlichtaufnahmen. Nun konnten auch andere, bereits vorhandene Gebäudekomplexe vom Film genutzt werden. Den Anfang für Berlin machten die in den Jahren des ersten Weltkrieges errichteten Ausstellungshallen am Zoo, Hardenbergstraße 29, die der Möbelfabrikant Mankiewicz 1919 zu einem Kunstlichtatelier mit 2250 Quadratmeter Grundfläche umbauen ließ. Erstmals war damit nicht eine Filmfirma, sondern ein unabhängiger Unternehmer zum Inhaber geworden; er vermietete das Atelier 1920/21 an verschiedene Produktionsfirmen, ehe es danach bis zu seiner Schließung 1924 in den Besitz der Europäischen Filmallianz (EFA) GmbH überging. Berühmte Regisseure des deutschen Stummfilms haben im Atelier am Zoo gedreht; von Friedrich Wilhelm Murnau und Ernst Lubitsch bis zu Richard Oswald und Paul Czinner.

Nach Neubabelsberg, Weißensee und Tempelhof wurde 1920 der Außenbezirk Johannisthal «Filmstadt». Dort rüsteten – da mit den Festlegungen des Versailler Vertrages die deutsche Flugzeugproduktion entscheidend eingeschränkt worden war – die Albatros-Flugzeugwerke ihre großen Hallen zur Johannisthaler Filmanstalt GmbH (Jofa) um, zum «größten Filmatelier der Welt», wie die Presse bei der Einweihung im Mai 1920 berichtete. Das Jofa-Atelier, Am Flughafen 6, verfügte über zwei große Hallen und ein Außengelände von über 20000 Quadratmetern: «Die Johannisthaler Filmanstalten bestehen aus zwei feuerfesten glasverdachten Hallen von 137 mal 21 Meter Nutzfläche, die als Doppelhalle durch große eiserne Schiebetore verbunden sind. Halle A dient als Aufnahme-Atelier und ist durch verstellbare Sperrholzwände in drei Ateliers von je 45 mal 21 Meter eingeteilt. Eine Arbeitsgalerie in 10 Meter Höhe führt durch die ganze Halle. Nach der Ostseite, der Flugplatzseite, können die Ateliers durch große Schiebetüren vollständig freigelegt werden. In der unmittelbar neben der eigentlichen Atelierhalle liegenden Halle B sind die Betriebsräume jeder Art untergebracht.»[35] Im Jofa-Atelier entstanden bis zur Umstellung auf den Tonfilm an die 400 deutsche Stummfilme. Auch danach wurde weiterproduziert, und das Gelände dient bis heute Filmzwecken. Seit 1962 wird es vom Deutschen Fernsehfunk genutzt.

Kurz nach der feierlichen Eröffnung des Jofa-Ateliers drehte hier Ende 1920 die Czérepy-Film den ersten ihrer vier Teile von *Fridericus Rex*, mit

34 Veidt, Conrad: Mein Leben vor der weißen Wand. – Berlin, 1921. – S. 11 f.

35 Film-Kurier. – Berlin (1920-05-11).

Arbeiter ließen sich mit einem der Riesenscheinwerfer des Jofa-Ateliers 1920 fotografieren.

Die Aufnahme von 1920 zeigt das Jofa-Atelier in Berlin-Johannisthal mit verschiedenen Szeneneinrichtungen und dem neuartigen zur Beheizung dienenden Heißluftgebläse an der Decke.

dem eine nahezu zwei Jahrzehnte anhaltende Serie von «Preußen-Filmen» ihren Siegeszug beim deutschen Publikum antrat. Gleichzeitig fand sich der Schauspieler Otto Gebühr als «Alter Fritz» ein für allemal auf diese Rolle fixiert. Er hat erzählt, wie es dazu kam: «In den Jahren 1912/13, als ich in Berlin am Theater in der Königgrätzer Straße spielte, lehnte ich den Film ab. 1919 kam ich wieder nach Berlin zurück, damals drehte Regisseur Carl Boese, mit Lyda Salmonova in der Hauptrolle, den Film *Die Tänzerin Barberina.* Für die letzten zwei Akte wurde ein Fridericus gesucht. Und eines Tages sagte mein Freund Paul Wegener, der Gatte der Diva, zu mir: ‹Otto, du könntest eigentlich den ‹Ollen Fritz› spielen!› Ich war jetzt nicht mehr abgeneigt, und so kam es, daß ich dem Regisseur als das in Frage kommende Individuum zugeführt wurde. Ich war ohne jede Filmerfahrung, ferner fehlte mir jeder Name: kein Mensch kannte mich beim Film. Nach langem Hin und Her entschloß man sich schließlich zu einem Versuch... Nun, es wird nicht unbekannt sein, daß ein gütiges Geschick mir hiermit *die* Rolle in die Hände spielte, die der größte Erfolg meines Lebens werden sollte. Schon bald darauf folgte der große vierteilige *Fridericus-Rex*-Film.»[36]

Im Jofa-Atelier Johannisthal, mit ausgedehnten Außenaufnahmen an den historischen Stätten von Berlin (Altes Schloß) und Potsdam (Schloß Sanssouci), drehte Regisseur Arzen von Czérepy zwischen 1920 und 1923 nach der Roman-Trilogie *Ein Volk wacht auf* von Walter von Molo (Drehbuch: Hans Behrend) diese vier Filme: *Sturm und Drang, Vater und Sohn, Sanssouci* und *Schicksalswende.* Nur wenige Jahre nach Deutschlands Niederlage im ersten Weltkrieg, die mit der «Schmach von Versailles» (wie der Friedensvertrag allgemein bezeichnet wurde) endete, appellierten die *Fridericus-Rex*-Filme mit aller Offenheit an nationale, ja nationalistische Gefühle des Zuschauers. «Die gesamte Konstruktion zielte unverhohlen darauf ab, das Publikum davon zu überzeugen, daß ein neuer Friedrich nicht nur ein wirksames Gegengift gegen den Virus des Sozialismus sein, sondern auch Deutschlands nationale Ansprüche verwirklichen könnte», schrieb Siegfried Kracauer. Und: «Ein sicheres Zeichen des Erfolgs war der Eifer, mit dem sowohl die Ufa wie andere Filmgesellschaften das Rezept wiederholten. In den folgenden Jahren wurden zahlreiche ähnliche Erfolge lanciert, die letzten von ihnen unter Hitler. Sie alle übernahmen mehr oder weniger das Muster des ersten *Fridericus*-Films. Und bis auf einen Film spielte in allen Otto Gebühr den König. Vielleicht ist es treffender zu sagen, er ließ ihn wieder auferstehen. Wann immer er Flöte spielte, seine großen, funkelnden Augen auf einen Botschafter heftete, auf einem Schimmel an der Spitze seiner Truppen ritt oder sich als gebeugter alter Mann in einer schmutzigen Uniform mit der Krücke unter seinen Generälen bewegte, war es, als ob Friedrich leibhaftig auf der Leinwand erschien.»[37] 1925 gab die Deutsche Reichspost sogar eine Briefmarke heraus, die Otto Gebühr als Fridericus zeigte.

36 Gebühr, Otto: Meine Filmlaufbahn. – In: Das Otto-Gebühr-Buch. – Berlin, 1927. – S. 26 f.

37 Kracauer, Siegfried: Von Caligari zu Hitler. – Schriften Bd. 2. – Frankfurt a. M., 1979. – S. 125.

Mit *Fridericus Rex* (1921, Regie: Arzen von Czérepy) begann die nationalistische Welle der «Preußen-Filme» und gleichzeitig die Karriere des Schauspielers Otto Gebühr, Darsteller des «Alten Fritz» in insgesamt 15 Spielfilmen bis zum Jahre 1940.

Das Szenenfoto aus *Das Kabinett des Dr. Caligari* (1919, Regie: Robert Wiene) zeigt Conrad Veidt als Medium des Caligari über den Dächern der Stadt. Mit diesem Film wurde die expressionistische «dämonische Leinwand» (Lotte H. Eisner) in Deutschland begründet.

Nach dem Drehbuch von Rudolf Leonhard drehte der bekannte Bühnenregisseur Karlheinz Martin 1921 den expressionistischen Film *Das Haus zum Mond*. Szenenfoto mit Fritz Kortner, Leontine Kühnberg und Rosa Valetti

Großer Beliebtheit erfreuten sich auch die «Historienfilme» mit ihren üppigen Dekors und Kostümen. Auf diesem Szenenfoto aus *Lady Hamilton* (1919, Regie: Richard Oswald) erkennen wir Werner Krauss als Lord Nelson und Liane Haid (am Flügel) in der Titelrolle.

Die riesigen Dimensionen der Filmproduktionsstätten verdeutlicht ein Blick in die zum Atelier umgebaute ehemalige Zeppelinhalle in Berlin-Staaken (1923).

Von den zahlreichen Anekdoten um Gebühr-Fridericus sei hier die folgende wiedergegeben: Vor dem Hause des Schauspielers warteten des öfteren Schulkinder, um ihm bei seinem Erscheinen ein lautes «Oller Fritze!» nachzurufen. Eines Tages ging Gebühr zum nahegelegenen Gymnasium, um sich beim Direktor über dessen Zöglinge zu beschweren. «Natürlich werden wir das abstellen!» erklärte der würdige Mann. Und als sich Gebühr bei ihm bedanken wollte, salutierte er: «Aber das ist doch selbstverständlich, Majestät!»[38]

War das Jofa-Atelier Johannisthal 1920 als «größtes der Welt» begrüßt worden, so eröffneten sich drei Jahre später in Berlin-Staaken neue Dimensionen, wiederum in Verbindung mit der Geschichte der Luftfahrt. Die seit dem Ende des ersten Weltkriegs leerstehende riesige Luftschiffhalle am ehemaligen Flughafen wurde 1923 von der neugegründeten Filmwerke Staaken AG zu einem Großatelier umgebaut, mit vier Ateliers in der sogenannten Ringbahnhalle (zwischen 1400 und 2100 Quadratmeter Grundfläche) und zwei weiteren in der Großen Halle (4000 bzw. 6000 Quadratmeter). «Der zur Verfügung stehende Aufnahmeraum ist achtmal so groß wie die Bodenfläche sämtlicher Berliner Ateliers zusammengenommen», berichtete die Presse. «Bis jetzt war die größte Bauhöhe 11 Meter, Staaken aber gestattet ein Bauen bis zu 28 Meter hinauf. Man muß diese Ausmaße immer in Hinsicht auf die

38 Nach: Riess, Curt: Das gab's nur einmal. – Hamburg, 1958. – S. 167.

Möglichkeiten sehen, Bauten, die bisher nur auf Freilichtplätzen möglich waren, ins Atelier zu verlegen und sie für die Feinheiten der Beleuchtungstechnik restlos zugänglich zu machen.» Und noch eine, vom Theater übernommene technische Neuerung zeichnete das Großatelier aus: «In der Haupthalle wird ein riesiger Rundhorizont errichtet, der ständig stehen bleibt und eine Seitenlänge von etwa 60 Meter sowie eine lichte Höhe von 26 Meter hat. Dieser massive Rundhorizont ermöglicht es, mit den modernen Beleuchtungsmethoden jede Lichtnuance herzustellen.»[39]

Die Riesenhallen von Staaken waren bis zu Beginn der dreißiger Jahre in Betrieb, sie wurden zum Mekka des Monumentalfilms – von Robert Wienes Bibelfilm *I.N.R.I.* (1923, Neumann-Produktion) bis zu Fritz Langs *Metropolis* (1926, Ufa), für den die «Große Halle» sogar unter Wasser gesetzt wurde.

Ein ehemaliger Tattersall in Berlin-Grunewald, Am Königsweg 1, wurde 1924 von der Trianon-Film-Atelier GmbH zum Grunewald-Atelier umgebaut, mit zwei Aufnahmestudios von 1500 bzw. 350 Quadratmeter Grundfläche. Der Filmbetrieb hier lief bis zur Zerstörung der Gebäude im Frühjahr 1945.

1925 errichtete die Europäische Film-Allianz (EFA) GmbH nach Aufgabe ihres Ateliers am Zoo das neue Efa-Atelier in Berlin-Halensee, Cicerostraße 2–6, eine Halle von 90 mal 30 Meter Grundfläche. Stolz schrieb die Firma: «Durch das große Mittelportal des monumentalen Fassadenbaues gelangt man in die neue Aufnahmehalle, deren Ausmaße die am Zoo innegehabte Halle an Ausdehnung noch übertreffen. Diese mächtige überdachte Halle ist in vier große Ateliers eingeteilt.»[40]

Damit war Mitte des Jahres 1925 der Aufbau der Berliner Atelierlandschaft abgeschlossen. Alle Dachateliers der Zeit vor 1910 hatten mittlerweile ihren Betrieb eingestellt, auch einige der Glashäuser aus der Periode 1910 bis 1920 wurden geschlossen. In Neubabelsberg, Weißensee, Tempelhof, Johannisthal, Marienfelde, Halensee und Grunewald aber lief die Filmproduktion auf Hochtouren. Heute sind davon nur die Standorte Babelsberg (DEFA) und Johannisthal (Deutscher Fernsehfunk) sowie Tempelhof (Berliner Union-Film/ZDF) übriggeblieben. Nach dem zweiten Weltkrieg entstand im Jahre 1949 mit den C.C.C.-Ateliers in Spandau die vorerst letzte «Filmstadt» von Berlin.

39 Lichtbild-Bühne. – Berlin (1923–05–17).

40 Die EFA und ihre Bedeutung für die deutsche Filmindustrie. – Berlin, 1926. – S. 11.

2 Universum-Film AG

Die Ufa und ihr Weg zum Monopol

War der Film bis zum Jahre 1914 ein eher obskures Medium der Unterhaltung gewesen, so stellte sich mit Beginn des ersten Weltkriegs nun mit Nachdruck auch die Frage nach seiner möglichen Propagandafunktion. Nur vier Wochen nach Kriegsausbruch berief der deutsche Generalstab Oskar Meßter zum «Fachmann für Bild- und Filmwesen». Bereits im September 1914 gelangte dessen Kurzfilm *Dokumente zum Weltkrieg* in die Kinos, die erste deutsche Kriegswochenschau, die dann ab Oktober als «Meßter-Woche» regelmäßig hergestellt wurde. Auch der Spielfilm bemächtigte sich des neuen Themas mit «Kriegsschauspielen» (ein großer Erfolg war 1915 z.B. der Streifen *Im Schnellfeuer*) und «Kriegslustspielen» wie *Die liebe Gulaschkanone.* Aber nach dem ersten «Kohlrübenwinter» 1916/17 und dem einsetzenden Massensterben an den Fronten verebbte die Konjunkturwelle rasch. Sowohl der Generalstab als auch die führenden Kreise der deutschen Kriegswirtschaft waren unzufrieden mit der Situation.

Auf Initiative von Dr. Alfred Hugenberg, Direktor der Krupp-Werke, und Ludwig Klitzsch, Vorstandsmitglied der Deutschen Überseedienst GmbH, wurde am 19. November 1916 die Deutsche Lichtbild-Gesellschaft e.V. (Deulig) gegründet. Klitzsch hatte bereits kurz vor Kriegsausbruch, im Juli 1914, als Direktor des Verlages der «Leipziger Illustrierten Zeitung», vor 120 Vertretern namhafter Wirtschaftskreise die «dringend notwendige Organisation einer deutschen Film- und Lichtbildpropaganda» gefordert.[41] Hinter ihrer proklamierten Absicht, Werbearbeit für Deutschlands Kultur und Wirtschaft zu betreiben, «verbarg sich nur notdürftig die nackte politische Propagandatendenz», wie Jerzy Toeplitz schreibt.[42] 1917 produzierte die Deulig bereits 21 und 1918 dann 129 Propagandafilme.

Im April 1917 folgte die Gründung eines Bild- und Filmamtes (Bufa) bei der Obersten Heeresleitung, mit dem die einheitliche Lenkung des deut-

41 Zit. nach Kriegk, Otto: Der deutsche Film im Spiegel der Ufa. – Berlin, 1943. – S. 59.

42 Toeplitz, Jerzy: Geschichte des Films. – Bd. 1. – Berlin, 1972. – S. 139.

schen Filmwesens durch die Militärbehörde garantiert werden sollte. Zum Aufgabenbereich des Bufa gehörten die Versorgung von Inland und Front mit Filmen, der Einsatz von Feldkinos und Kriegsberichterstattern, die Verteilung des Rohfilmmaterials sowie die Zensur aller ein- und auszuführenden Filme. Auch eigene Propagandastreifen wurden produziert, mit Titeln wie *Die Schuldigen des Weltkriegs*, *Die Entdeckung Deutschlands* oder *Das ganze Deutschland soll es sein!*

Was fehlte, war die Konzentrierung der deutschen Filmproduktion zum Zwecke einer noch wirksameren Propaganda. Dazu legte Generalfeldmarschall Erich Ludendorff am 4. Juli 1917 in einem Brief an das Königliche Kriegsministerium seine Position dar: «Der Krieg hat die überragende Macht des Bildes und Films als Aufklärungs- und Beeinflussungsmittel gezeigt... Gerade aus diesem Grunde ist für einen glücklichen Abschluß des Krieges unbedingt eine Vereinheitlichung der deutschen Filmindustrie notwendig... Die Verwirklichung der vorstehenden Ausführungen betrachte ich als dringende Kriegsnotwendigkeit.»[43] Ludendorffs Brief zeigte praktische Konsequenzen. Am 29. Oktober 1917 fand im Kriegsministerium eine Beratung zur «Reorganisation der deutschen Filmindustrie»[44] statt, in deren Ergebnis die schnellstmögliche Gründung eines «Filmkonzerns» festgelegt wurde. Das war die eigentliche Geburtsstunde der Ufa.

Am 18. Dezember 1917 folgte dann im Gebäude des Generalstabs in Berlin die Gründungsversammlung der Universum-Film AG. Das Startkapital betrug über 25 Millionen Goldmark, die Reichsregierung war mit 5 Millionen beteiligt, 10 Millionen stellte ein Bankenkonsortium unter Führung der Deutschen Bank bereit, 10 Millionen kamen von der Elektro-, Kohle- und Stahlindustrie. Die Spitze des Aufsichtsrates der neuen Filmfirma war entsprechend zusammengesetzt: Emil Georg von Stauss, Deutsche Bank (Vorsitzender); Johannes Kiehl, Deutsche Bank; Fürst von Donnersmarck, Ruhrkohle- und Stahlindustrie; Paul Mamroth, AEG; Robert Bosch; Wilhelm Cuno, Hapag-Lloyd; und Herbert Gutmann, Dresdner Bank.

In vorangegangenen Vorverhandlungen sowie mit geheimen Aktienkäufen hatte die Deutsche Bank die Majorität an drei bis dahin maßgeblichen Filmunternehmungen Deutschlands erworben, die nun in dem neuen Konzern der Ufa zusammengeschlossen wurden: der Meßter-Konzern (mit der Meßter-Film GmbH und ihrem Atelier in der Blücherstraße sowie den verschiedenen Apparatefirmen), der Union-Konzern (mit der Projektions AG Union und ihren Tempelhofer Ateliers), die Vitascope GmbH mit ihrem Atelier in der Lindenstraße; dazu die Internationale Film-Vertriebs GmbH mit ihrem über ganz Deutschland reichenden Netz von etwa 40 U.T. (Union-Theater)-Lichtspielen sowie die deutschen Unternehmungen des dänischen Nordisk-Konzerns mit der Verleihorganisation Nordische Film-Gesellschaft mbH und einem Netz von etwa 30 Nordisk-Filmtheatern im ganzen Land.

43 Faksimile bei: Kriegk, Otto: Der deutsche Film im Spiegel der Ufa. – Berlin, 1943. – S. 65.

44 Zit. nach Herlinghaus, Hermann: Dokumente zur Vorgeschichte der Ufa. – In: Deutsche Filmkunst. – Berlin (1958) 5.

Sogenannte Tatsachenfilme, in denen historische Szenen nachgespielt wurden, versuchten den Mangel an aktuellen Informationsmöglichkeiten auszugleichen. Die Meßter-Film GmbH stellte 1914 den «nationalen Großfilm» *Fürst Bismarck* her. Sein Erlös diente der Errichtung des Bismarck-Denkmals in Elisenhöhe.

Mit diesem Schreiben von Generalfeldmarschall Ludendorff an die Oberste Heeresleitung wurde im Juli 1917 die Schaffung eines zentralisierten Filmkonzerns angeregt.

Wenn man beachtet, welche Summen das Ausland für Filmpropaganda ausgibt, so erscheint die vorstehende Forderung als durchaus gering. Es darf nur daran erinnert werden, dass im Laufe des letzten Vierteljahres von seiten der Entente ausserordentlich hohe Summen, über 100 Millionen Mark für Propagandazwecke bewilligt wurden, von denen der grösste Teil für die Filmwerbung Verwendung findet.

Die Verwirklichung der vorstehenden Ausführungen betrachte ich als dringende Kriegsnotwendigkeit und ersuche um baldige Durchführung durch das Bild- und Film-Amt. Jch wäre dankbar, wenn ich über das dort Veranlasste in geeigneter Form unterrichtet werden könnte.

Jch füge hinzu, dass es sich um werbende Ausgaben handelt.

J. A.

Damit nahm die Ufa nicht nur bei der Filmproduktion, sondern auch in den Bereichen Filmverleih und Lichtspieltheater eine führende Stellung in Deutschland ein, die sie in den Folgejahren durch weitere Hinzukäufe bis zur Monopolstellung ausbaute. Mit der Gründung zahlreicher Tochterunternehmen und Zweigbetriebe im Ausland, die die Produktionen der Ufa auf den Auslandsmärkten plazieren sollten, war die Firma auch international aktiv.

Am 14. Februar 1918 wurde die Universum-Film AG in das Handelsregister der Stadt Berlin eingetragen: «Gegenstand des Unternehmens sind alle Zweige der Filmwirtschaft, insbesondere die Fabrikation von Filmen, der Filmverleih, das Filmtheatergeschäft und der Handel mit allen Artikeln des Film- und Lichtspielgewerbes.»[45] Zum Generaldirektor wurde Carl Braatz ernannt. Die Geschäftsräume befanden sich am Potsdamer Platz im Picadilly-Haus, genannt nach dem im Erdgeschoß befindlichen Nachtlokal gleichen Namens, dem späteren «Haus Vaterland».

Der eigentliche Gründungszweck des Unternehmens – Beiträge zu leisten für «den glücklichen Abschluß des Krieges», wie es Ludendorff formuliert hatte – war im Sommer 1918 nicht mehr zu realisieren. Als am 18. August bei Soissons die deutsche Westfront zusammenbrach, zeichnete sich die endgültige Niederlage der kaiserlichen Armee bereits deutlich ab. Daraufhin beschloß der Aufsichtsrat der Ufa die Verlagerung der Produktion von der rein propagandistischen auf eine künstlerische Ebene.

Die im Konzern vereinigten Gesellschaften firmierten noch für einige Jahre in den Filmen selbständig. Ihre ersten drei großen Erfolge verdankte die Ufa Paul Davidson, dem Produzenten der Projektions AG Union. Er

45 Zit. nach: In Berlin produziert: 24 Firmengeschichten / hrsg. von Michael Esser. – Berlin (West), 1987. – S. 6.

brachte 1918/19 in rascher Folge drei Monumentalfilme des Regisseurs Ernst Lubitsch heraus, mit dem er bereits seit dessen Regiedebüt *Fräulein Seifenschaum* im Jahre 1914 zusammenarbeitete: *Die Augen der Mumie Ma*, *Carmen* und *Madame Dubarry*. Pola Negri und Emil Jannings (außer in *Carmen*) spielten die Hauptrollen und avancierten damit zu den ersten Stars der Ufa. Mit *Madame Dubarry*, angekündigt als «größter Film aller Zeiten», wurde am 18. September 1919 der neuerworbene Ufa-Palast am Zoo in Berlin eröffnet. Pola Negri erinnert sich an die Premiere, die ein gesellschaftliches Ereignis der Stadt darstellte: «Als der Film zu Ende war, herrschte atemloses Schweigen. Emil sah ganz zufrieden aus. Lubitsch und ich wechselten nervöse Blicke. Vielleicht mochte das Publikum gar nicht, was wir für unsere beste Arbeit hielten? Dann aber kam die Decke herunter: ein donnernder Applaus brach los und nahm kein Ende mehr. Die Leute begannen, unsere Loge zu stürmen. Wir mußten fürchten, von diesem Enthusiasmus einfach zerfetzt zu werden.»[46]

Zu dieser Zeit arbeitete Lubitsch bereits an seinem nächsten historischen «Großfilm» *Anna Boleyn*, diesmal mit Henny Porten in der Titelrolle. Während der Außenaufnahmen in Berlin wurde eines Tages hoher Besuch ange-

Im dritten Jahr des Weltkrieges propagierte diese Szene in einer Edelmetallsammelstelle (aus: *Der feldgraue Groschen*, 1917) die Durchhaltelosung «Gold geb ich für Eisen!».

46 Negri, Pola: Memoirs of a Star. – Zit. nach: Brennicke, Ilona; Hembus, Joe: Klassiker des deutschen Stummfilms. – München, 1983. – S. 48.

Regisseur Ernst Lubitsch (links) und der Produzent Paul Davidson stellten sich 1919 dem Fotografen. Zu dieser Zeit arbeiteten sie gemeinsam an dem Monumentalfilm *Madame Dubary*.

Während der Dreharbeiten 1920 zu dem Lubitsch-Film *Anna Boleyn* in Berlin-Tempelhof erschien hoher Besuch: (von links) Emil Georg von Stauss, Aufsichtsratsvorsitzender der Ufa, Reichspräsident Friedrich Ebert, Ufa-Generaldirektor Carl Braatz mit den Hauptdarstellern Henny Porten und Emil Jannings.

kündigt, Reichspräsident Friedrich Ebert kam in Begleitung der Herren des Ufa-Aufsichtsrates. Die Komparsen, allesamt Berliner Arbeitslose, beschlossen daraufhin, diese Gelegenheit zu einer politischen Demonstration zu benutzen. Als es schließlich soweit war und der Krönungszug Heinrichs VIII. gedreht werden sollte, erscholl aus vielen hundert Kehlen der Ruf «Wir wollen Arbeit!» Ängstlich beobachtete die Porten den Verlauf der Dinge, doch die Komparsen in ihrer Nähe beruhigten ihren Liebling: «Nu hab man keene Bange, Henny, dir tun wa nischt, du bist doch ne nette kleene Jöre!»[47]

Von entscheidender Bedeutung für die weitere Profilierung der Ufa in den beginnenden zwanziger Jahren wurde die im November 1921 im Zuge wirtschaftlicher Expansion erfolgende Übernahme der Decla-Bioscop AG. Diese Gesellschaft bestand seit April 1920 als Vereinigung der früheren Deutsche Bioscop AG mit der Deutschen Eclair-Filmgesellschaft Decla. Aus einem Pressebericht über die bevorstehende «Gewaltfusion» geht hervor, wie die Aufsichtsräte solche Firmenübernahmen bewerkstelligten: «Herr von Stauss, der sich jetzt intensiver als früher für die Geschicke der Ufa interessiert [zu dieser Zeit hatte gerade die Reichsregierung ihren Kapitalanteil aus dem Konzern zurückgezogen, die Deutsche Bank hatte ihn übernommen und war damit neuer Hauptaktionär der Ufa], und Herr Pohl, Vorsitzender des Aufsichtsrats der Decla-Bioscop, dem es als Chef des Bankhauses Hardy & Co. ein leichtes war, alle vorbereitenden Schritte zu treffen, um die Decla-Bioscop der Deutschen Bank zur Verschmelzung mit der Ufa auszuliefern.

47 Nach: Riess, Curt: Das gab's nur einmal. – Hamburg, 1958. – S. 136.

Wie wir erfahren, soll es ihm gelungen sein, Aktien der Decla-Bioscop aus Privatbesitz durch – sagen wir – liebenswürdig drängenden Zuspruch an sich zu reißen, so daß er mit den schon im Besitz seines Bankhauses befindlichen Decla-Bioscop-Aktien jetzt über solche im Ausmaße von 22 Millionen verfügt. Und diesen Aktienblock hat Herr Pohl der Deutschen Bank zum Erwerb angetragen.»[48]

Durch diese Fusion wurde die Ufa nicht nur zum Inhaber des ab 1912 von der Deutschen Bioscop errichteten Neubabelsberger Ateliergeländes; mit dem Produzenten Erich Pommer und den Regisseuren Fritz Lang und Friedrich Wilhelm Murnau stießen auch entscheidende künstlerische Kräfte zu ihr. Erich Pommer trat im Februar 1923 in den Vorstand der Ufa ein, deren Gesamtproduktion er für die nächsten drei Jahre leitete. In der Vergangenheit hatte er für die Decla, später die Decla-Bioscop, Regisseure wie Fritz Lang, Friedrich Wilhelm Murnau, Robert Wiene und Ludwig Berger verpflichtet und deren erste Erfolgsfilme produziert, etwa Langs *Die Spinnen* (mit den beiden Teilen *Der goldene See*, 1919, und *Das Brillantenschiff*, 1920), Wienes *Kabinett des Dr. Caligari*, 1919, oder Murnaus *Schloß Vogelöd*, 1921.

Erich Pommers starke Persönlichkeit prägte das Programm der Ufa; deren beste Filme dieser Periode sind, wie Wolfgang Jacobsen schreibt, «bestimmt von seinen Obsessionen: der Organisation von Film, geschäftlichem Risiko und Kalkül, der Fixierung auf Genres, auf Gesichter von Schauspielern, auf Bauten und Ausstattung, auf Kameraarbeit und Technik allgemein. Immer wieder hat Pommer betont, daß Filmemachen Teamarbeit sei.»[49] Und Pommer vereinigte bei der Ufa ein hervorragendes Team von Regisseuren, Filmarchitekten, Kameraleuten und Schauspielern! In seiner Ära von 1923 bis 1926 drehte Murnau neben dem Meisterwerk *Der letzte Mann* die Streifen *Tartüff* und *Faust*; Regisseur Ewald André Dupont schuf den Welterfolg *Varieté* – alle Filme mit Emil Jannings in der Hauptrolle, der Pommers bevorzugter Schauspieler war. Fritz Lang inszenierte *Die Nibelungen* (mit den beiden Teilen *Siegfried* und *Kriem-*

Mit der vorübergehenden Abschaffung der Filmzensur ab 1918 überschwemmte eine Welle als «Aufklärungsfilme» getarnter erotischer Streifen den Markt. Für Richard Oswalds «sozialhygienisches Filmwerk» *Die Prostitution* wurde der bekannte Sexualforscher Magnus Hirschfeld als Berater gewonnen. Plakat von Josef Fenneker, 1919

48 Film-Kurier. – Berlin (1921–05–27).

49 Jacobsen, Wolfgang: Erich Pommer: Ein Produzent macht Filmgeschichte.– Berlin (West), 1989. – S. 55.

hilds Rache) und begann mit den Dreharbeiten zu *Metropolis* – der bildgewaltigen und trickreichen Visualisierung eines utopischen Molochs «Stadt».

Neubabelsberg und Tempelhof hatten Hochkonjunktur, in den Ateliers wie auf dem Freigelände. So schrieb z. B. Fritz Lang nach der Vollendung seiner *Nibelungen*-Filme im Frühjahr 1924: «Ich werde niemals den Augenblick vergessen, als ich zu Otto Hunte, der mit mir schon im *Mabuse* gearbeitet hatte, sagte: ‹Hunte, du sollst mir die *Nibelungen* bauen!› Er hat sie mir gebaut. Er und sein prachtvoller Adlatus Kettelhut haben mir auf dem Neubabelsberger Gelände Worms und den Rhein, Isenland und Etzels Reich, den deutschen Dom und den deutschen Wald erbaut.»[50]

Zur gleichen Zeit arbeiteten Murnau und seine Architekten Robert Herlt und Walter Röhrig an *Der letzte Mann*. Die Presse berichtete: «Von weither, schon vom Eingang her, grüßt die Mauer aus den *Nibelungen*, an welcher die Hunnen emporkletterten, und hinter einem Gebüsch guckt noch der (nun tote) Drache hervor. Gehen wir weiter, so sehen wir die gigantische, 60 Meter hoch als Freibau ausgeführte Hinterhausmauer aus dem *Letzten Mann*, die mit ihren zahllosen Fenstern und ihrer unendlichen Monotonie die Großstadt verkörpern soll und Jannings eine Folie zu seiner Kunst gegeben hat. Zu demselben Film gehört auch der Großstadtplatz mit seinem Riesenhotel, das in Wirklichkeit nur aus vier Stockwerken besteht, im Film aber als Wolkenkratzer erscheinen wird (Fabrikationsgeheimnis!). 60 Autos,

1924 entstanden auf dem Freigelände in Neubabelsberg nach Entwürfen von Otto Hunte und Erich Kettelhut die monumentalen Bauten für Fritz Langs zweiteiligen Film *Die Nibelungen*.

50 Zit. nach: Brennicke, Ilona; Hembus, Joe: Klassiker des deutschen Stummfilms. – München, 1983. – S. 109.

richtige und Modelle, sind über die Straßenkreuzung gefahren, und bewunderungswürdig ist ihr perspektivischer Aufbau.»[51]

Doch Murnaus Meisterwerk erntete nicht nur Lob. In einem «Offenen Brief» protestierte der Verein Berliner Hotelportiers empört gegen *Der letzte Mann:* «Eine Portierstype, wie sie hier dargestellt wird, existiert nicht einmal in Posemuckel. Die ganze Aufführung ist geeignet, den ehrenwerten Stand der Hotelportiers lächerlich zu machen und in der öffentlichen Meinung herabzuwürdigen. Daher legt unser Verein gegen eine derartige Verunglimpfung entschiedene Verwahrung ein.»[52]

Neubabelsberg bildete ab 1923 das Zentrum der Ufa-Produktion, die meisten ihrer Filme entstanden hier, während das Tempelhofer Atelier zu großen Teilen an andere Firmen vermietet wurde. 1924 beschäftigte der Konzern bereits 4000 Angestellte und Filmarbeiter. Da die beiden nun schon über zehn Jahre alten Ateliergebäude in Neubabelsberg nicht mehr ausreichten, wurde Ende 1925 mit dem Bau einer neuen Riesenhalle begonnen, «dem größten Filmatelier Europas», wie es bei der Fertigstellung im Dezember 1926 hieß: «Die neue Aufnahmehalle in Eisenkonstruktion, massiv ausgemauert, 123 Meter lang, 56 Meter breit und 14 Meter hoch bis zu den Laufstegen, umfaßt mit ihren Nebenräumen etwa 8000 Quadratmeter bebaute Fläche und ist mit allen erforderlichen technischen Einrichtungen und Möglichkeiten ausgestattet. Die große Halle ist durch verschiebbare ausge-

Nachtaufnahmen zu dem Murnau-Film *Der letzte Mann* (1924) auf dem Freigelände in Neubabelsberg

51 Film-Kurier. – Berlin (1924–09–25).

52 Zit. nach: Riess, Curt: Das gab's nur einmal. – Hamburg, 1958. – S. 217.

mauerte Wände unterteilt, so daß mehrere Großfilme und eine Anzahl kleinerer Filme zu gleicher Zeit gedreht werden können.»[53]

So groß die Freude über die neue technische Errungenschaft auch war – mittlerweile befand sich die Ufa schon fast zwei Jahre in ernsten finanziellen Schwierigkeiten. Hatte man das Firmenschiff noch relativ unbeschadet durch die Inflationsjahre steuern können, so wurde die Konkurrenz Hollywoods auf den Filmmärkten der Welt nun immer übermächtiger, die Exporterlöse der Ufa gingen spürbar zurück, zumal die genannten Spitzenfilme zwar künstlerische Achtungserfolge erzielten, aber kommerziell nicht durchschlugen. Daran konnte auch die bereits 1918 unter Leitung von Ernst Krieger gegründete Ufa-Kulturfilmabteilung – sie begann ihre Arbeit mit dem «Großkulturfilm» *Die Alpen* – nichts ändern, nicht einmal mit ihrem «Film über moderne Körperkultur» *Wege zu Kraft und Schönheit*, der 1925 «durch die neckisch entblößten Busenhügel einiger berlinisch-römischer Wasserträgerinnen»[54] zum Kassenschlager in Deutschland wurde. Nein, der Ufa ging es finanziell sehr schlecht.

Zunehmend mischte sich nun der Aufsichtsrat in die Belange der Produktion, insbesondere in die Etats der einzelnen Filme ein, die tatsächlich in den zurückliegenden Jahren oftmals erheblich überschritten worden waren. Daraufhin trat Erich Pommer am 22. Januar 1926 als Produktionsleiter der Ufa zurück. Sein Nachfolger wurde Hugo Corell. Pommer folgte kurz darauf einem Angebot aus Hollywood. Wie er, verließen vorübergehend oder für

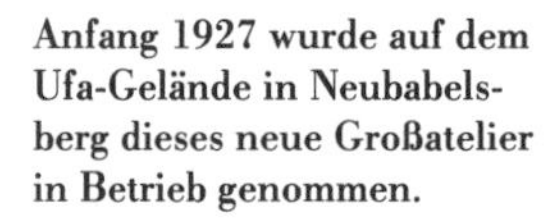
Anfang 1927 wurde auf dem Ufa-Gelände in Neubabelsberg dieses neue Großatelier in Betrieb genommen.

53 Reichsfilmblatt. – Berlin (1926–12–22).

54 Die Weltbühne. – Berlin (1925–09–20).

Der Blick von der Beleuchterbrücke in die Große Halle von Neubabelsberg vermittelt einen Eindruck von der Arbeitsatmosphäre bei Innenaufnahmen.

immer die Regisseure Lubitsch, Murnau und Dupont sowie die Schauspieler Jannings, Veidt und de Putti Berlin in Richtung USA. Vom Aufenthalt Emil Jannings' in Hollywood ist eine schöne Anekdote überliefert: Der Schauspieler, alkoholischen Getränken stets zugetan, geriet in Kalifornien mitten in die Periode der strengen Prohibition. Eines Tages bemerkte er, wie die von ihm beschäftigte böhmische Haushälterin in der Waschküche kräftig einer Flasche zusprach. Jannings voller Spannung: «Was trinken Sie da, Frau Navratil?» «Pilsner, gnädiger Herr, selbstgebrautes.» Sofort stürmte Jannings zu seiner Frau Gussy Holl: «Schluß mit Waschfrau, Gussylein! Die Navratil wird unser Braumeister!»[55]

Während Hollywood solchermaßen einige ihrer besten Kräfte abzog, sah sich die Ufa-Konzernspitze zur gleichen Zeit zu einem finanziellen Arrangement mit der übermächtigen Konkurrenz gezwungen. Eine Anfang 1925 in Form von zehnprozentigen Obligationen aufgenommene Anleihe in Höhe von 15 Millionen Reichsmark hatte die finanzielle Krise nur vorübergehend beruhigt. Weitere Maßnahmen wurden nötig. So kam es in Verträgen vom 19. und 31. Dezember 1925 mit den amerikanischen Filmgesellschaften Paramount und Metro Goldwyn Pictures zur Aufnahme eines langfristigen Darlehens von vier Millionen Dollar (17 Millionen Reichsmark). Als Gegenleistung mußte die Ufa bis zu 70 Prozent der Spieltermine in ihren Filmtheatern für Streifen aus den USA freimachen. Im Februar 1926 wurde dazu das gemeinsame Verleihunternehmen Parufamet gegründet, das auch Ufa-Filme in den Vereinigten Staaten verbreiten sollte. Parität war zwar vereinbart, doch in der Praxis stand der großen Zahl von Hollywoodfilmen, die nun in

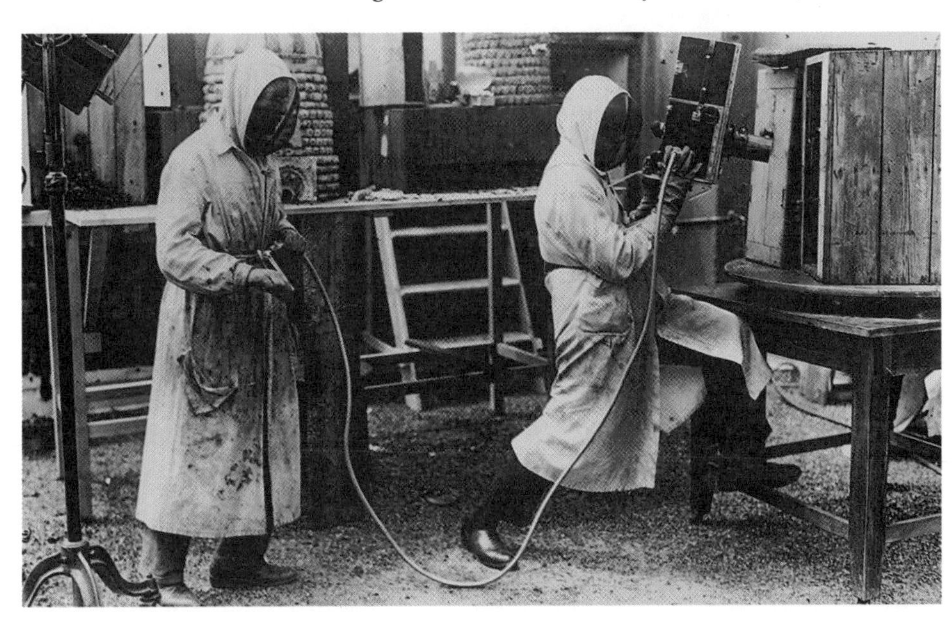

1924 verfilmte die Ufa-Kulturfilmabteilung den Bestseller *Die Biene Maja* von Waldemar Bonsels. Die Aufnahme von den Dreharbeiten zeigt die Kamera-Crew mit Imkermasken und Schutzkleidung.

55 Nach: Riess, Curt: Das gab's nur einmal. – Hamburg, 1958. – S. 301.

Der Aufwand, den die Arbeiten an einem Monumentalfilm erforderten, wird in dieser Szene von den Dreharbeiten zu *Geheimnisse des Orients* (1921, Regie: Wladimir Strichewski) deutlich.

den Ufa-Theatern anliefen, ein weitaus geringeres Kontingent deutscher Filme gegenüber, die tatsächlich in den USA Verbreitung fanden.

Auch diese finanzielle Sanierungsmaßnahme aber brachte kaum eine durchschlagende Verbesserung der Situation. Im Gegenteil: Die Großproduktionen hatten so viel Geld verschlungen (allein Langs *Metropolis* kostete statt der veranschlagten eineinhalb Millionen am Ende knapp sechs Millionen Reichsmark), daß die Ufa bei Abschluß des Geschäftsjahres 1925/26 Verluste in Höhe von 50 Millionen Reichsmark ausweisen mußte. Aufsichtsratsvorsitzender von Stauss ernannte daraufhin den Direktor der Württembergischen Vereinsbank, Dr. Ferdinand Bausback, zum neuen Generaldirektor und «Sparkommissar». Als absolut branchenfremder Finanzmann war er nicht in der Lage, entscheidende Änderungen einzuleiten. Hinter vorgehaltener Hand kursierten in der Filmwelt Geschichten von seinen Atelierbesuchen, etwa wie die folgende: Bausback ist in Neubabelsberg und läßt sich auf der Suche nach Einsparmöglichkeiten eine der neuen elektrischen Kameras vorführen. «Die haben wir jetzt gerade gekauft? War denn solche Ausgabe nötig?» Geduldig erläutert der Kameramann die unbedingte Notwendigkeit, da hat Bausback einen neuen Einfall: «Mit wieviel Volt wird die Kamera betrieben?» «Mit zweihundertzwanzig, Herr Generaldirektor.» Darauf dieser mit warnend erhobenem Zeigefinger: «Dabei muß es aber auch unbedingt bleiben!»[56] So stand Ende des Jahres 1926 der größte deutsche Filmkonzern vor der Entscheidung: Verkauf oder Konkurs. Spätestens bis zur Bilanzaufstellung der Deutschen Bank im März 1927 mußte diese Frage geklärt werden. Verhandlungen mit der Reichsregierung scheiterten. Nun schlug die Stunde des Dr. Alfred Hugenberg.

Wir erinnern uns: Der Vorsitzende des Direktoriums der Krupp-Werke AG beteiligte sich bereits 1916 maßgeblich an der Gründung der Deutschen Lichtbild GmbH (Deulig), die ab 1920 als Deulig-Film GmbH arbeitete und 1922 mit der Übernahme der «Meßter-Woche» ihre «Deulig-Wochenschau» marktführend in Deutschland plazierte, zudem auch in die Spielfilmproduktion einstieg. Hugenberg war bereits 1918 aus dem Krupp-Vorstand ausgeschieden und hatte mit dem Aufbau des ersten deutschen Medienkonzerns begonnen. Zum Zeitpunkt des Beginns der Verhandlungen mit der Ufa gehörten dazu neben der Deulig der mächtige Scherl-Verlagskonzern (Zeitungs-, Illustrierten- und Buchproduktion), die Telegraphen-Union und Wolffs Telegraphisches Büro (Nachrichtenagenturen) sowie die Allgemeine Anzeigen GmbH (landesweite Pressewerbung). Dieses Imperium lenkte Hugenberg, einflußreicher Politiker der Deutschnationalen Volkspartei (DNVP) und Vertreter der Interessen der Schwerindustrie, ganz im Sinne nationalistischer Beeinflussung seiner Leser und Zuschauer. 1928 sollte er Vorsitzender der DNVP werden, 1931 Mitbegründer der «Harzburger Front» und 1933 Wirtschaftsminister im ersten Kabinett Hitler.

Die neuen Herren der Ufa (1928): Aufsichtsratsvorsitzender Alfred Hugenberg (links) und Generaldirektor Ludwig Klitzsch im Gespräch auf dem Dachgarten des Scherl-Verlagsgebäudes

Mit der zur Disposition stehenden Ufa ergab sich für Hugenberg die einmalige Gelegenheit, auch auf dem Filmsektor ein wichtiges Großunternehmen zu erwerben. Er zögerte nicht. Seine Absichten waren klar erkennbar: «Daß die Ufa die Hugenberg-Gruppe in erster Linie als Propagandainstrument und erst in zweiter Linie als Geschäft interessiert, scheint kaum zweifelhaft.»[57] Die Verhandlungen mit der Deutschen Bank begannen im März 1927. Bereits am 1. April erzielte man Einigung: «Von dem Grundkapital wurden für Reichsmark 13,5 Millionen Aktien von einer Interessengruppe unter Führung des Geh. Finanzrats Dr. Alfred Hugenberg übernommen, wobei sich diese Gruppe durch

56 Nach: Riess, Curt: Das gab's nur einmal. – Hamburg, 1958. – S. 267.

57 Der Volkswirt. – Berlin (1927–04–11).

Als neureiche Währungsspekulanten der Inflationsjahre traten in diesem Stummfilm von 1923 *Fräulein Raffke* Erna Morena (Mitte) und Werner Krauss auf.

Gruppenfoto der Mitarbeiter des Filmkopierwerkes Afifa kurz nach der Übernahme des Betriebes durch die Ufa 1924. Im Hintergrund ist das fast vollendete neue Gebäude des Ullstein-Verlages in Berlin-Tempelhof zu sehen.

Mit dieser Vorrichtung, dem «fünften Rad», konnten 1925 erstmals Aufnahmen von den Insassen eines fahrenden Automobils gedreht werden.

Übernahme sämtlicher Aktien mit zwölffachem Stimmrecht die Stimmenmajorität bei der Verwaltung der Ufa sicherte, die bis dahin die Deutsche Bank in Händen gehabt hatte. Als Käufer größerer Aktienpakete traten neben der Hugenberg-Gruppe noch der Otto-Wolff-Konzern und die IG-Farben-Industrie auf, die durch den ihr angeschlossenen Rohfilmproduzenten Agfa an der Ufa als Großabnehmerin von Rohfilm Interesse hatte.»[58] Die Deulig fusionierte mit der Ufa, außerdem übernahm man das größte Filmkopierwerk Berlins, die AG für Filmproduktion (Afifa).

Neuer Aufsichtsratsvorsitzender der Ufa wurde Alfred Hugenberg, Georg von Stauss fungierte als sein Stellvertreter, neue Mitglieder waren unter anderen Fritz Thyssen und Paul Silverberg von der Rheinischen Schwerindustrie sowie Paul Lederer von der IG Farben. Zum neuen Generaldirektor der Ufa ernannte Hugenberg seinen alten Freund Ludwig Klitzsch, seit 1914 Vorreiter einer «nationalen Filmproduktion» und seit 1918 Direktor der Deulig.

Damit begann Ende April 1927 die zweite Phase in der Entwicklung der Ufa, gekennzeichnet durch eindeutige Ausrichtung auf nationalistische Propaganda und gleichzeitig kommerziell sichere Unterhaltung. Der künstlerisch ambitionierte Film gehörte von nun an zu den Ausnahmen innerhalb der Ufa-Produktion.

Erste Amtshandlung Klitzschs war die Einleitung umfassender Rationalisierungs- und Sparmaßnahmen. Die Ufa veräußerte Grundstücke, darunter ihr Gebäude am Potsdamer Platz – die neue Direktion zog in die Krausenstraße 38–39 um, entließ Personal und begann mit der Auflösung zahlreicher unrentabler Tochterfirmen im Ausland. Sämtliche Produktionsetats und Drehzeiten unterlagen von nun an strengster Kontrolle durch die Direktion. Im Juli 1927 reiste Klitzsch nach New York, um die abgeschlossenen Verträge mit Paramount und Metro Goldwyn zu revidieren bzw. ganz zu lösen. Mit Hilfe der Deutschen Bank, die sich bereit erklärte, das seinerzeitige Darlehen von vier Millionen Dollar sofort zurückzuzahlen, gelang dies weitgehend. Die Amerikaner akzeptierten die Rückzahlung und stimmten einer Verkürzung des Verleih-Austausch-Vertrages zu, der innerhalb von vier Jahren auslaufen sollte. Die Parufamet betrieb künftig nur noch den Vertrieb der amerikanischen Filme in Deutschland, während der Filmverleih der Ufa (Ufaleih) die eigenen Produktionen weltweit, auch in den USA, verbreiten konnte. Wichtiges Verhandlungsergebnis war darüber hinaus die Reduzierung der Terminverpflichtungen für amerikanische Filme in den Ufa-Theatern von bisher 70 Prozent auf 25 Prozent.

Klitzschs nächste USA-Reise brachte ein weiteres positives Ergebnis: In einem Gespräch in New York konnte er Erich Pommer zur Rückkehr nach Berlin bewegen. Am 23. November 1927 unterschrieb dieser seinen zweiten Ufa-Vertrag, nunmehr als Produktionsleiter und Chef der Erich-Pommer-

58 Lipschütz, Rita: Der Ufa-Konzern: Geschichte, Aufbau und Bedeutung im Rahmen des deutschen Filmgewerbes. – Berlin, 1932. – S. 14.

Produktion der Ufa. Pommers erstes Projekt (seit seinem Ausscheiden Anfang 1926 aus der *Metropolis*-Produktion) war im Frühjahr 1928 die Verfilmung von Leonhard Franks Novelle *Karl und Anna* durch Regisseur Joe May. Zur gleichen Zeit, da das Programm des neuen Aufsichtsrats mit dem nationalistischen «Großfilm» *Der Weltkrieg* Gestalt auf den Kinoleinwänden annahm, mußte sich Pommer, dessen Teilnahme an den Vorstandssitzungen als «nicht wünschenswert» abgelehnt wurde, gegen den Vorwurf der Herren wehren, dieser neue Joe-May-Film *Heimkehr* nach Leonhard Frank habe eine «bolschewistische Tendenz», was nun ganz und gar nicht stimmte, denn das Drehbuch von Fritz Wendhausen milderte die Antikriegstendenz der Frankschen Novelle zugunsten der verstärkten und im Film äußerst sentimentalen Liebesgeschichte.

Die nächste Arbeit von Pommer und May bildete den Abschluß für ein Genre des deutschen Stummfilms, das seine Spitzenleistungen mit Karl Grunes *Die Straße*, 1923, und G. W. Pabsts *Die freudlose Gasse*, 1925, erreichte. Der «Straßenfilm» hatte die nächtliche Großstadt mit ihren Gefahren und Verlockungen zum Inhalt. Die faszinierenden Bildwirkungen und eindrucksvollen Hell-Dunkel-Kontraste entstanden dabei fast ausnahmslos in der «gebauten» Straßenszenerie der Ateliers. So auch in Joe Mays *Asphalt* von 1928/29: «Die Riesenhalle des Neubabelsberger Ateliers durchschneidet eine Straße, erbaut von Erich Kettelhut für *Asphalt*. Mit Trottoirs, mit Läden, und natürlich dem filmnamengebenden Asphalt. Die Ateliertüren öffnen sich. Dann öffnen sich hinten, rechts und links, die Atelierschiebetüren. Die Straße wird aufs Freigelände fortgesetzt. In ihrer Verlängerung die Fassaden eines Bureauhochhauses mit modernen, breiten Fenstern... Die Asphaltstraße läßt einen nicht los.»[59] Nur wenige Jahre später sollten sich die Nazis bei ihrer Verunglimpfung progressiver Kunstleistungen der Weimarer Republik als «jüdisch-bolschewistische Asphaltkultur» auch auf den «Straßenfilm» beziehen.

Als *Asphalt* am 18. Februar 1929 seine Premiere im Ufa-Palast am Zoo erlebte, neigte sich die Stummfilmzeit bereits ihrem Ende entgegen. Für die Ufa hatte der Weg zur Monopolfirma des deutschen Films begonnen. Mit ihrer Spielfilmproduktion (Kulturfilm und Wochenschau zeigten sie noch dominanter) von 15 Filmen 1927, 16 Filmen 1928 und 13 Filmen 1929 verfügte sie zwar nur über einen Anteil von jeweils sieben bis acht Prozent an der Jahresgesamtproduktion in Deutschland (1927: 242 abendfüllende Spielfilme, 1928: 224 und 1929: 183) – da sich diese Gesamtproduktion aber auf insgesamt 83 (!) Filmfirmen verteilte, die meisten von ihnen nur einen, höchstens zwei Filme pro Jahr herstellten[60], war die Ufa bereits zu diesem Zeitpunkt marktführend. Diese Stellung konnte sie nach Einführung des Tonfilms in den Jahren 1930 bis 1932 noch weiter ausbauen, bis hin zum unumstrittenen Monopol ab 1933.

59 Film-Kurier. – Berlin (1928–11–03).

60 Alle Angaben nach: Jason, Alexander: Handbuch der Filmwirtschaft. – Bd. 2. – Berlin, 1930. – S. 83 ff.

Der «Straßenfilm» der zwanziger Jahre faszinierte durch seine in aufwendigen Studio-Szenerien gedrehten Hell-Dunkel-Kontraste des nächtlichen Lebens. Die Dreharbeiten zu Joe Mays *Asphalt* fanden im Herbst 1928 in der Großen Halle von Neubabelsberg statt.

Vom Groschenkino zum Filmpalast

Die Landschaft der Berliner Lichtspieltheater

Wer im Jahre 1927 vom Nollendorfplatz über die Tauentzienstraße zum Kurfürstendamm flanierte, befand sich im Kinozentrum Berlins. Moderne und luxuriöse Filmpaläste beherrschten die Gegend um die Kaiser-Wilhelm-Gedächtniskirche, den «Broadway von Berlin». Die Reichshauptstadt hatte sich in den 30 Jahren seit Skladanowskys erster «Bioskop»-Vorführung im Varieté «Wintergarten» 1895 nicht nur zum Zentrum der deutschen Filmproduktion entwickelt, auch das Netz der Kinos von Berlin suchte seinesgleichen in Europa. Die Stadt verfügte Ende 1928, kurz bevor der Tonfilm kam, über 387 Lichtspieltheater, davon 57 mit 500 bis 750 Plätzen, 31 mit 750 bis 1000 Plätzen und 33 Großkinos mit über 1000 Plätzen. Entwickelt hatte sich dies aus sehr bescheidenen Anfängen, erst das Jahrzehnt zwischen 1910 und 1920 brachte den Durchbruch.

Nach den französischen Probevorführungen vom April 1896 und den kurz darauf folgenden Meßter-Präsentationen «lebender Photographien mittelst Kinematograph» im Hause Unter den Linden 21 blieben die ersten kurzen Filmstreifen noch für mehrere Jahre eine Attraktion im Varietéprogramm sowie auf Jahrmärkten und Volksfesten. Wanderkinos, die ihren Strom durch mitgeführte Dampfmaschinen und Generatoren selbst erzeugten, lockten zwischen Karussells und Losbuden ihr Publikum von Treptow bis Krumme Lanke an. Wie es dort kurz vor der Jahrhundertwende zuging, schildert ein Augenzeuge so: «Das ‹Mellini-Theater› nannte sich ‹Theater der lebenden Figuren›. Es hatte die höchsten Eintrittspreise auf dem ganzen Freimarkt und die vornehmste Ausstattung. Die Front war knallweiß lackiert. Riesige Frauenleiber mit wild emporgeschlungenen Armen hielten als Säulen den Dachfirst. Eine große Orgel mit tanzenden Figuren schmetterte Märsche und Walzer über den Platz. Zur Rechten ratterte eine große Lokomobile mit blankem Kupferkessel. Ihr schrilles Pfeifen kündigte den Beginn der Vorstellung an. Die ‹eigene elektrische Centrale› war der Clou in der Ansage des Ausrufers. Drinnen war es wesentlich feiner als in den anderen Buden. Das Zelt war mit dunklem Samt ausgeschlagen, statt der üblichen Bänke waren Klappstühle aufgestellt. Der Ansager hielt zunächst eine erläuternde Ansprache. Ein gewisser Meßter habe kürzlich eine Entdeckung gemacht, das Publikum sei nun dazu auserwählt, die ersten ‹der Natur abgefangenen lebenden Bilder› zu sehen. Dann erlosch das von der Lokomobile gespendete Licht. Auf die Leinwand richtete sich der Strahl aus einem Projektor. Ein Radfahrer war zu sehen, dann ein Omnibus, der richtig aus dem Brandenburger Tor herausfuhr. Ein D-Zug sauste vorbei. Nach zwanzig Minuten war die Vorstellung beendet. Die Augen schmerzten ein wenig.»[61]

Am 1. November 1899 eröffnete Otto Pritzkow in der Münzstraße 16 das erste feste Kino Berlins, noch unter dem bezeichnenden Namen «Abnormitäten- und Biograph-Theater». Damit begann das Jahrzehnt der «Ladenkinos», so genannt, weil sie sich in ehemaligen Geschäften und Läden etablierten. Ein erhaltenes Foto aus dem Jahre 1903 zeigt solch ein typisches Etablissement in Berlin-Neukölln: Im Eingang des «Kino-Theaters ‹Das lebende Bild›, Inh. Karl Knübbel» präsentieren sich stolz der Besitzer, seine Frau nebst Hund und der Vorführer mit einer Filmrolle unter dem Arm. Wie

Kinematographentheater «Das lebende Bild» in Berlin-Neukölln, 1903

61 Zit. nach: Kriegk, Otto: Der deutsche Film im Spiegel der Ufa. – Berlin, 1943. – S. 3 u. 4.

beliebt die «Films» rasch wurden, zeigt die Tatsache, daß 1907 in Berlin bereits 142 Ladenkinos existierten. Bald kamen auch größere Räume hinzu, die Gesamtzahl wuchs bis 1912 auf etwa 180 an. Ein solcher «Kientopp», wie die Berliner die neue Unterhaltung nannten, zählte pro Tag im Durchschnitt 550 Besucher.[62] Immer noch – wenn wir uns die Art der Filme vergegenwärtigen, die damals produziert wurden – handelte es sich hier um Attraktion und Vergnügen, nicht um Kunsterlebnisse. Ein Revueschlager aus dem Walhalla-Theater, der 1910 populär wurde, reflektiert die Szenerie:

Maxe, komm in' Kientopp 'rin!
Heut' wechselt das Programm.
Wir nehm' nen reservierten Platz
Und rücken dicht zusamm'n!
Maxe, wenn es dunkel wird
Dann macht es ries'gen Spaß.
Wir knutschen, knutschen, knutschen uns
Bis wieder brennt das Gas![63]

Da der Stummfilm zu dieser Zeit noch keine Zwischentitel kannte, das Verfahren zu ihrer Einkopierung wurde erst nach 1913 entwickelt, verfügte jeder bessere Kientopp über einen wortgewandten «Erklärer» und natürlich über einen Klavierspieler, der die lebenden Bilder melodramatisch untermalte. Aus dem Jahre 1912 stammen die folgenden Impressionen, zunächst von einem Kientopp in der Chausseestraße: «‹Wer Krawall macht, fliegt raus›, schreit der Kinobesitzer mitten im Stück. ‹Ick kann nischt sehn!› brüllt einer zurück. ‹Denn halten Se wenigstens det Maul›, dekretiert der Besitzer, und der Rowdie hält es, um nicht vor die Tür dieses Paradieses gesetzt zu werden; er duckt sich und sucht zu sehen, die Bilder zu sehen, bei denen man die Kälte der wartenden Straße, den Hunger, die Müdigkeit vergißt, die von den Reichen und all ihrer Pracht erzählen.» Der Streifzug führt den Berichterstatter dann weiter in die Münzstraße: «Da war ein Kientopp, ganz beim Alexanderplatz. Ein langer Riemen, gesteckt voll, eine schaudervolle Luft, ein atemloses Publikum. Arbeiter, Straßendirnen, Zuhälter, über allem klang die schmalzige, gefühlvolle, in jedem Wort verlogene Begleitrede des Erklärers. Er dampfte vor reinem sittlichen Empfinden, er brachte die Worte vom Abschaum der Großstadt wie eine große Delikatesse langsam und geschmalzt über die Lippen, er erläuterte das Seelenleben aller handelnden Personen.»[64]

Fügen wir an dieser Stelle noch eine atmosphärische Beschreibung aus der Feder des Schauspielers Paul Bildt an, der bereits in der Frühzeit der Kinematographie vor der Kamera stand: «Es war nicht immer ein reiner Genuß, sich nach wochenlangen Dreharbeiten hinterher auf der Leinwand zu sehen. Da saß ich etwa in einem kleinen Kientopp in der Friedrichstraße,

62 Alle Zahlenangaben nach: Jason, Alexander: Der Film in Ziffern und Zahlen. – Berlin, 1925.

63 Zit. nach: Hätte ich das Kino! Die Schriftsteller und der Stummfilm: Ausstellungskatalog. – Marbach, 1976. – S. 30.

64 Rauscher, Ulrich: Die Welt im Film. – In: Frankfurter Zeitung. – Frankfurt a. M. (1912–12–31).

um mir *Sündige Liebe* anzusehen. Besonders in den zärtlichen Szenen hatte ich mein Herzblut vergossen. Jetzt aber fanden diese ein unerwartetes Echo: Jedesmal, wenn ich meine Partnerin umarmte und sie hingebungsvoll küßte, erscholl im Publikum johlendes Gelächter. Man schämte sich geradezu, und so rückte ich eiligst aus, um nur ja nicht erkannt zu werden.»[65]

Den Schritt vom Ladenkino zum richtigen Lichtspieltheater ging zuerst die 1906 in Frankfurt am Main von Paul Davidson gegründete Allgemeine Kinematographen-Theater-Gesellschaft mbH (ab 1908 Projektions-AG Union – PAGU). Sie errichtete unter der Bezeichnung Union-Theater (U.T.) die ersten größeren Kinos in Deutschland, die sie stolz als «Lichtspielpalast» bezeichnete. Die Einweihung des U.T. Alexanderplatz (mit 600 Plätzen) am 4. September 1909 eröffnete auch in Berlin diese neue Kinoära. Der namhafte Schriftsteller Ernst von Wolzogen (1901 Gründer des Berliner Cabarets «Überbrettl») hatte im Auftrag Davidsons einen «Prolog zur Eröffnung des Union-Theaters» verfaßt, der die Premierenvorstellung einleitete. Darin hieß es:

> Es ist noch aller Tage Abend nicht:
> Der wackre Kientopp munkelt zwar im Dunkel
> Allein sein inn'res Wesen ist das Licht.[66]

Die Entwicklung sollte dem Optimismus Wolzogens recht geben. Schon 1911 folgten weitere Union-Theater: das U.T. Hasenheide, das U.T. Rei-

Das älteste Berliner Kino «Pritzkow» wurde 1899 in der Münzstraße unweit des Alexanderplatzes eröffnet. Das Foto entstand anläßlich des dreißigjährigen Jubiläums.

65 Zit. nach: Weinschenk, H. E.: Schauspieler erzählen. – Berlin, 1941. – S. 40.

66 Wolzogen, Ernst von: Prolog zur Eröffnung des Union-Theaters. – Berlin, 1909. – S. 6.

nickendorfer Straße im Wedding und das U.T. Moritzplatz in der Oranienstraße.

Waren diese ersten Berliner U.T.-Kinos noch in bereits bestehende Gebäude eingebaut worden, so entstanden die nächsten Großkinos (mit einem Platzangebot zwischen 1000 und 1200) im Zuge der raschen architektonischen Neugestaltung Berlins vor dem ersten Weltkrieg auf dem Reißbrett als neue Bauvorhaben. Sie trugen nunmehr auch in der Eleganz ihrer Inneneinrichtung der Tatsache Rechnung, daß das Kino längst nicht mehr nur ein Vergnügen für proletarische Schichten der Bevölkerung war: «Seit man bemerkt, daß auch die ‹besseren Kreise› – zunächst inkognito – den Kientopp aufsuchten, dachte man darauf, ihnen für höheres Geld auch elegantere Räume zu bieten.»[67] So entstand 1912 das U.T. Tauentzienstraße (ab 1920: Tauentzienpalast) nach Plänen des Architekten Emil Schaudt. Ein Jahr später wurde am Kurfürstendamm 26 das Gebäude des Union-Palasts fertiggestellt (Architekten: Nentwich und Simon), «ein monumentales Bauwerk, welches als Herz ein Lichtspieltheater birgt». Das U.T. Kurfürstendamm (die spätere Filmbühne Wien) verfügte über einen mit Kadiner Kacheln geschmückten Kassenvorraum, ein Foyer «in reicher Rokoko- und Bilderdekoration», der Saal war in dunklem Eichenholz gehalten und fand «den Höhepunkt seiner architektonischen Ausgestaltung in den balkonartig schwach vorspringenden seitlichen Logen».[68] Damit war, den Theaterbauten folgend, das erste Kino mit Parkett und Rang eröffnet – in der Zukunft bald eine Selbstverständlichkeit.

1912/13 entstand Ecke Friedrichstraße/Taubenstraße das Bavaria-Haus (Architekt: Ernst Moritz Lesser), eines der ersten in Eisenbetonbauweise errichteten Gebäude der Stadt. Das darin befindliche U.T. Friedrichstraße «faßt 1000 sehr bequeme Samtpolstersitze und steht an Behaglichkeit den neuesten Bauten nicht nach. Eine Decke im Saal ist überhaupt nicht vorhanden, sondern die gewölbte Eisenbetonkonstruktion ist dunkelfarbig bemalt und wirkt selbst als Decke.»[69] Zur festlichen Eröffnung am 2. September 1913 wurde der Meßter-Film *Richard Wagner. Ein kinematographischer Beitrag zu seinem Lebensbild* gezeigt, mit dem Komponisten Giuseppe Becce in der Rolle Wagners. Er gehörte einige Jahre später zu den Pionieren der Stummfilmmusik. Nur wenige Tage später gab es am 28. September die nächste Einweihung eines Großkinos. In der Potsdamer Straße erklang zur Premierenvorstellung der Biophon-Theater-Lichtspiele eine Festouvertüre, danach sprach Henny Porten den Prolog zur «Weihe des Hauses».

Der Nollendorfplatz hatte schon 1910 seine Premiere als Kinozentrum erlebt. Im Kleinen Saal des Neuen Schauspielhauses (ab 1919 Theater am Nollendorfplatz) waren am 3. September die Lichtspiele Mozartsaal eröffnet worden. Sie dienten in den zwanziger Jahren zunehmend auch als Vortrags- und Lesungsraum, Karl Kraus trat hier mehrfach mit seinem «Theater der

67 Schliepmann, Hans: Lichtspieltheater. – Berlin, 1914. – S. 11.

68 Pabst, Rudolf: Das deutsche Lichtspieltheater in Vergangenheit, Gegenwart und Zukunft. – Berlin, 1926. – S. 50.

69 Ebenda, S. 47.

1910 wurden im Gebäude des Neuen Schauspielhauses am Nollendorfplatz (später: Theater am Nollendorfplatz) die Mozartsaal-Lichtspiele eröffnet. Ende der zwanziger Jahre war das Theater Domizil der Piscator-Bühne.

Nach Entwürfen des Architekten Oskar Kaufmann entstand 1913 am Nollendorfplatz das erste selbständige Kinogebäude Berlins, der wuchtige Cines-Palast.

Dichtung» auf. Am 2. März 1913 folgte die Einweihung des ersten selbständigen Kinogebäudes von Berlin: des nach Entwürfen von Oskar Kaufmann gebauten Cines-Theaters am Nollendorfplatz (ab 1916 U.T. Nollendorfplatz, ab 1920 Ufa-Pavillon). Der wuchtige fensterlose Bau erhielt erstmals ein schräg aufsteigendes Parkett mit optimalen Sichtverhältnissen von allen Plätzen aus sowie einen großen, geschwungenen Balkon. «Foyer und Zuschauerraum zeigen die strenge künstlerische Durchführung der Innenräume.»[70]

Ebenfalls noch vor dem ersten Weltkrieg entstanden schräg südlich vor der Gedächtniskirche die Marmorhaus-Lichtspiele eingangs des Kurfürstendamms. Erbaut nach Plänen des Architekten Hugo Pál, öffnete das Marmorhaus, dessen Attraktion ein prunkvolles Vestibül mit Glaskuppeldecke darstellte, am 1. März 1913 seine Pforten. Es verfügte im Parkett und im weit vorgezogenen Rang über 800 Plätze.

1914 hatte sich die Zahl der Kinos in Berlin auf knapp 200 erhöht. Sie blieb während der Kriegsjahre annähernd konstant, neue repräsentative Häuser wurden bis 1918 nicht gebaut. Mit Gründung der Ufa Ende 1917 änderten sich allerdings die Besitzstrukturen, da nunmehr die Union-Theater übernommen wurden. Die Bezeichnung U.T. war jedoch bereits so populär, daß die meisten der nunmehrigen Ufa-Theater sie beibehielten. Unmittelbar nach Kriegsende erwarb die Ufa mit dem Palast-Theater in der Hardenbergstraße auch ihrerseits ein repräsentatives Großkino im Zentrum des Berliner Westens. Nach verschiedenen Umbauten und mit neuem Namen eröffnete man am 18. September 1919 den Ufa-Palast am Zoo, der im neoromanischen

Wer den Monumentalfilm *Judas* sehen wollte, mußte im Nachkriegswinter 1918/19 in dem Hinterhofkino zwei Briketts als Obolus entrichten.

70 Pabst, Rudolf: Das deutsche Lichtspieltheater in Vergangenheit, Gegenwart und Zukunft. – Berlin, 1926. – S. 58.

Decla-Lichtspiele in Berlin-Spandau mit der Außenwerbung für ein Pola-Negri-Melodram, 1920

Stil seiner Außenfassade den Repräsentationsbauten rund um die Gedächtniskirche angeglichen war. 1925 wurde das Haus nach Plänen des Architekten Carl Stahl-Urack völlig umgestaltet und seine Platzkapazität auf 2200 erweitert.

Die Jahre ab 1920 brachten einen weiteren Aufschwung für das Kino: Zum einen profitierte es in der Zeit der schweren Nachkriegskrise und Inflation von seiner Funktion als Stätte des Aufwärmens und der Ablenkung von den Tagesnöten; zum anderen wurde der Film mehr und mehr zu einer ernstzunehmenden Kunst, was die Besucherzahlen ansteigen ließ. Neue Großkinos wuchsen in allen Bezirken von Groß-Berlin, wie die Stadt nach der Vereinigung von 87 bis dahin selbständigen Einzelgemeinden am 20. Oktober 1920 nun hieß. In der Schönhauser Allee entstanden der Ufa-Palast Königstadt (genannt nach dem Gebäude der ehemaligen Brauerei Königstadt) und nur wenige hundert Meter weiter 1924 aus einem ehemaligen Straßenbahnhof das Colosseum (beide mit über 1000 Plätzen). Im Nordosten Berlins, am Friedrichshain, wurde die Olympia-Film- und Bühnenschau gebaut, mit einer besonders großen Bühne für die damals beliebten Varietédarbietungen im Vorprogramm zum Film. In der Königgrätzer Straße öffnete der Lichtspiel-Palast Schauburg (mit 1500 Plätzen, 1923 Berlins größtes Kino). Ein Jahr später entstand nach Plänen der Architekten Ittelson und Neustein der Primus-Palast in der Potsdamer Straße, der «durch seine eindrucksvolle Außenreklame ein Bild moderner großstädtischer Lichtspieltheater wiedergibt».[71] Es folgten 1925 das U.T. Turmstraße (Architekt: Max Bischoff) und in der Charlottenburger Bismarckstraße das Piccadilly (Architekt: Fritz Wilms). Dieses Haus verzichtete auf einen Rang, dafür erhob sich das 1200 Plätze umfassende Parkett in einer Schräge von insgesamt drei Meter Höhenunterschied. Der gleiche Architekt entwarf auch das 1926 eröffnete Orpheum in Wilmersdorf, dessen Zuschauerraum eine halbrunde Form erhielt.

Auf solche Herausforderungen in den Bezirken reagierten die Filmgewaltigen im Zentrum Berlins 1926 mit zwei weiteren großen Premierenhäusern: dem Gloria-Palast und dem Capitol.

Die Gedächtniskirche am Viktoria-Auguste-Platz (heute: Platz an der Gedächtniskirche) war östlich und westlich von zwei großen neoromanischen Wohn- und Geschäftshäusern flankiert. In dem einen, Ecke Tauentzienstraße, befand sich seit 1917 das «Romanische Café», Treffpunkt der Berliner Künstlerwelt. Das andere, Ecke Kurfürstendamm, beherbergte das Café-Restaurant «Regina». In diesem Gebäude ließ der Inhaber der Gloria-Film GmbH Hanns Lippmann 1925/26 nach Plänen der Architekten Ernst Lessing und Max Bremer den Gloria-Palast errichten. Lippmann: «Ich erblickte meine Aufgabe nicht darin, den zahlreichen Lichtspielhäusern Berlins ein neues hinzuzufügen, sondern ich wollte hier etwas Besonderes schaffen.

Die Kant-Lichtspiele in Berlin-Zehlendorf (1929) – ein typisches Vorstadtkino

71 Pabst, Rudolf: Das deutsche Lichtspieltheater in Vergangenheit, Gegenwart und Zukunft. – Berlin, 1926. – S. 51.

Vis-à-vis der Gedächtniskirche wurde 1926 Berlins luxuriösestes Großkino eröffnet – der Gloria-Palast.

Der Architekt Hans Poelzig entwarf 1927 das Großkino Capitol in der Budapester Straße.

Was etwa Reinhardts Komödie [das 1924 eröffnete Haus der Komödie am Kurfürstendamm, Architekt: Oskar Kaufmann] für die Theaterwelt bedeutet, sollte der Gloria-Palast für die Filmwelt werden: ein Uraufführungstheater vornehmsten Stils.»[72] Das Haus war in enger Zusammenarbeit mit der Ufa entstanden, die den Gloria-Palast Ende 1926 auch offiziell übernahm. Bei der festlichen Eröffnung am 25. Januar 1926 mit Murnaus *Tartüff* kam das Publikum angesichts der üppigen Innenausstattung aus dem Staunen nicht heraus. «Wohin sind wir versetzt? Ist das ein Schloß von Balthasar Neumann, eine süddeutsche Residenz, ein spätbarockes Hoftheater?» fragte Oskar Bie, und er resümierte: «Aus der Finsternis des Kinos erwacht der helle Glanz der ewigen Theaterkultur. Die Maschinen haben gearbeitet, die Gesellschaft lächelt im Triumph der Kunst.»[73]

Ein dreiviertel Jahr später, im Herbst 1926, eröffnete die Phoebus-Film AG gegenüber der Nordseite der Gedächtniskirche in der Budapester Straße ihr Großkino Capitol, mit 1600 Plätzen ein neuer Rekordbau. Die Pläne stammten von Hans Poelzig, der wenig später auch das Filmtheater Babylon am Bülowplatz entwarf. Paul Zucker bescheinigte dem Capitol, es sei ein «Superlativ unseres verstadteten Lebens, skandiert in unserem Rhythmus, echtester Ausdruck unserer Zeit».[74]

Damit war Anfang 1927 der Ausbau des Kinozentrums von Berlin abgeschlossen. Nicht weniger als acht Lichtspielpaläste mit 1000 bis 1600 Plätzen befanden sich zwischen Nollendorfplatz und dem Anfang des Kurfürstendamms (Ufa-Pavillon am Nollendorfplatz, Mozartsaal-Lichtspiele, Tauentzienpalast, Capitol, Ufa-Palast am Zoo, Gloria-Palast, Marmorhaus, U.T. Kurfürstendamm). «Noch vor fünfzehn Jahren war die Gegend um die Kaiser-

72 Vom Romanischen Haus zum Gloria-Palast. – Berlin, 1926. – S. 8.

73 Ebenda, S. 26 u. 32.

74 Zucker, Paul: Theater und Lichtspielhäuser. – Berlin, 1926. – S. 131.

Die Berliner Kinolandschaft im Anzeigenspiegel präsentiert sich hier in der «B.Z. am Mittag» vom 31. März 1930.

Frei nach dem Roman „Professor Unrat" von Heinrich Mann, für den Tonfilm geschrieben von Carl Zuckmayer und Karl Vollmöller · Drehbuch: Robert Liebmann

Ein Tonfilm der Erich Pommer-Produktion der Ufa

mit Marlene Dietrich, Rosa Valetti, Hans Albers, Wilhelm Diegelmann, Curt Gerron, Karl Huszar-Puffy, Eduard von Winterstein.

Regie: Josef von Sternberg

Musik: Friedrich Hollaender
Bild: Günther Rittau · Hans Schneeberger
Ton: Fritz Thiery
Orchester: Weintraubs Syncopators
Bauten: Otto Hunte · Emil Hasler

Festvorstellung: Morgen 8 Uhr

Emil Jannings wird mit den Hauptdarstellern der Festvorstellung beiwohnen.

GLORIA-PALAST
an der Kaiser Wilhelm-Gedächtniskirche

MOZARTSAAL
GLÜCKS-MELODIE
(Akkorde der Liebe)
mit
Margit Manstad
Jenny Hasselquist
Hakan Westergren
Ein schwedischer Tonfilm mit Gesangseinlagen
„Im Kristallpalast"
Uraufführung
HEUTE
7^00 9^15
Nollendorfplatz 5

Flügel, Pianos, Harmonium,
Gelegenheitskäufe

CAPITOL AM ZOO
Täglich 7^15 9^15
Sonnabend und Sonntag 5^15 7^15 9^15
Vorverkauf täglich 12–2
DREI
Wochen vor ausverkauftem Hause
ZWEI
Herzen im 3/4 Takt
EINS
Publikum und Presse: Der entzückendste und lustigste Tonfilm
CAPITOL AM ZOO

Möbl. Zimmer

Erholung im Schwarzwald
Pension Zellmann, Schlageten 47 bei St. Blasien.

LUCIANO ALBERTINI • ERNST VEREBES
GRETL BERNDT • ELZA TEMARY • HARRY HARDT
RAIMONDO VAN RIEL in dem lustigen Abenteuerfilm der AAFA

6^30 9^00
Auf der Bühne: LITTLE ESTHER
Die Sensation von Berlin.
R. u. W. Roberts, die eleganten Akrobaten
5, 7^15, 9^15
Das große Beiprogramm
TITANIA-PALAST
PRIMUS-PALAST
Die Hauptdarsteller sind in beiden Theatern zu beiden Vorstellungen persönlich anwesend.

ATRIUM
Uraufführung
Laura La Plante
in
Die Liebesfalle
mit Neil Hamilton

Eleg. Partnerin

Herrenmaßschneider

Die größte Tisch-Rohrpost der Welt im
RESI
CASINO
DAS BALLHAUS DER TECHNIK
BLUMENSTRASSE 10

MERCEDES VOLKS-VARIETÉ
Ab Freitag, d. 4. April 1930
Das große Eröffnungs-Programm
u. weitere 9 Attraktionen

Vertretungen Niederl.-Indien

Beleihen
JUWELEN
PELZE
PERSER TEPPICHE

3 Bechstein
2 Ibach
2 Blüthner
1 Duysen
1 Ibach
1 Blüthner
Flügel
Piano
Hans Rehbock & Co

Preußisches Leihhaus
beleiht jede Wertsache.

Wilhelm-Gedächtniskirche das, was die Schöpfer dieses Stadtteils beabsichtigten: ein stilles, vornehmes Wohnviertel, das ‹Romanische Viertel›... Kriegs- und Nachkriegsentwicklung haben jedoch aus der ruhigen Wohngegend ein zweites Zentrum Berlins werden lassen. Verkehr, Lärm, geschäftliche Bedeutung steht hinter dem Potsdamer Platz nicht mehr zurück, der Kurfürstendamm ist zum Boulevard geworden, hat sich zum Broadway Berlins entwickelt», hieß es in der Festschrift anläßlich der feierlichen Eröffnung des Gloria-Palastes.[75]

Doch damit war der Bau von Großkinos in der Stadt noch nicht abgeschlossen. Ende 1927 öffneten drei weitere Lichtspielpaläste mit 2000 und mehr Plätzen: das Atrium in der Kaiserallee, der Mercedes-Palast in der Hermannstraße im Wedding und der Titania-Palast in der Steglitzer Schloßstraße. Mit 2500 Plätzen war der Mercedes-Palast nun das größte Kino von Berlin – nicht zufällig in einem Arbeiterbezirk! 1929, als sich die Zeit des Stummfilms bereits ihrem Ende näherte, wurden nochmals drei große Häuser eröffnet: der Roxy-Palast in der Schöneberger Hauptstraße, die Lichtburg in der Behmstraße und das Universum, Kurfürstendamm/Ecke Cicerostraße am Lehniner Platz. Besonders der letztgenannte Bau – heute Domizil der berühmten Berliner Schaubühne – gilt als Beispiel künstlerisch vollendeter funktionaler Kino-Architektur der zwanziger Jahre. Außerdem ist er eine der ganz wenigen Schöpfungen des Architekten Erich Mendelsohn, die den Krieg überstanden haben.

75 Vom Romanischen Haus zum Gloria-Palast. – Berlin, 1926. – S. 5 u. 6.

Der stumme Film und die Musik

Vom Klavierspieler zum Kino-Orchester

«Als im Jahre 1895 in Berlin die ersten Filmvorführungen stattfanden, begann auch die Geschichte der Filmmusik.» Diese Feststellung von Wolfgang Thiel[76] verweist auf die Tatsache, daß der Stummfilm eigentlich nie stumm gewesen ist, sondern sein Publikum von Anfang an mit musikalischen Beigaben erreichte, die eine ebensolche Genesis durchlaufen haben wie die Bilder selbst. In den «wilden» Jahren der Wanderkinos und Kientopps gab es zunächst eine Blütezeit des Kino-Klavierspielers, der, mehr oder weniger gut improvisierend, ein bestimmtes Stammrepertoire beliebter Salonstücke – von Mendelssohns «Hochzeitsmarsch» bis zum «Gebet einer Jungfrau» – analog zu den immer wiederkehrenden melodramatischen Grundsituationen auf der Leinwand darbot, aktualisiert um die jeweiligen Tagesschlager. Gelegentlich traten ein Stehgeiger, oder ein Cellist, und ein Schlagzeuger – dem gleichzeitig die Geräuscherzeugung oblag – hinzu, und das Ganze nannte sich bereits stolz «Kino-Kapelle». Dabei erfreuten sich die Musiker beileibe nicht immer der Gunst ihres Publikums, wie die folgende, oft kolportierte Anekdote es beschreibt: In einem Berliner Kientopp lief *Irrwege des Lebens*, große Tragödie in sieben Akten mit Henny Porten in der Hauptrolle. Als armes, betrogenes Mädchen – vom Vaterhaus verstoßen, vom Bräutigam verlassen – steht sie auf einer Brücke und will ihrem Leben ein Ende machen. Schon beugt sie sich über das Geländer, da ertönt aus dem Zuschauerraum der laute Ruf: «Henny, nimm den Klavierspieler mit!»[77]

Aus dem Jahre 1911 stammt der folgende Bericht über den Programmablauf einer Kapelle: «3–4 Uhr Klavier allein, von 4–11 Uhr Dienst der ganzen Kapelle. Abendpause 1 Stunde, während dieser spielt einer der Musiker Klavier; dieser hat Pause, wenn die anderen zurückkommen. Während der Vorführung der Wochenrevue wird nicht gespielt, und die humoristischen Bilder werden nur mit Klavier begleitet, was von den einzelnen Musikern ab-

76 Thiel, Wolfgang: Filmmusik in Geschichte und Gegenwart. – Berlin, 1981. – S. 121.

77 Stemmle, Robert Adolf: Die Zuflöte. – Berlin, 1940. – S. 21.

wechselnd gemacht wird, da ich nur Leute mit Klavier als Nebeninstrument engagiere. Auf diese Weise kommen in einem Programm von anderthalb Stunden auf den einzelnen mindestens 20 Minuten Pause. Dabei hat das Publikum ebenfalls etwas Abwechslung und unterhält sich meines Erachtens besser, als wenn es fortwährend in unausgesetzter Folge die Kapellenvorträge hören würde.»[78]

Je länger die Spielfilme dauerten, desto weniger reichte das begrenzte Repertoire der Kinomusiker aus, um alle Szenen entsprechend zu illustrieren. Außerdem war mit der Entstehung der ersten Lichtspielpaläste die Zahl der beschäftigten Musiker gestiegen, man präsentierte dem Publikum der größer werdenden Häuser ab etwa 1910 nunmehr richtige Orchester mit einem Dirigenten und 10 bis 15 Mann Besetzung. Sie «übernahmen die einstudierten Salonstücke, Potpourris, Fantasien, Opernparaphrasen, Ouvertüren, Märsche und Tänze ihrer Caféhausvergangenheit... Um sich das Auf- und Wiederfinden der je Film zusammengestellten Fragmente zu erleichtern, legten die meisten Kapellenleiter eine Kartei an, in der das vorhandene Notenmaterial nach häufig wiederkehrenden dramatischen Situationen und filmischen Schauplätzen geordnet wurde.»[79]

Als nach dem ersten Weltkrieg die Zahl solcher Kino-Orchester sprunghaft anstieg, erkannten die Musikverlage hier ein neues Absatzgebiet und begannen, sämtliche in ihrem Repertoire befindlichen geeigneten kurzen Stücke zu sogenannten Kino-Serien zusammenzustellen. Damit war die «Kinothek»-Musik geboren, derer die Kapellmeister sich nun bedienen konnten. Die erste gedruckte Kinothek erschien bereits 1913 in den USA. Neben diesen zufälligen, aus vorhandenen Verlagsbeständen zusammengestellten Serien schrieben einige befähigte Berliner Kino-Dirigenten auch eigene, der Spezifik des Films wesentlich besser entsprechende Kinothek-Musiken: Ab 1919 gab Giuseppe Becce sechs Folgen «Filmbegleitungsmusiken» heraus, auch Gottfried Huppertz, Hans May und Marc Roland arbeiteten auf dem Gebiet. Noch immer aber war es dem jeweiligen Kapellmeister (und oft schlimmer: dem Kinobesitzer) überlassen, auf welche Weise er mit oder ohne Kinothek den Film musikalisch illustrierte. In den meisten mittelgroßen Lichtspieltheatern wurde bis zum Ende der Stummfilmzeit so verfahren; dabei herrschte überwiegend geringes Niveau vor. So berichtet die Anekdote etwa, wie eines Tages ein junger, hoffnungsvoller Stummfilmkomponist aufgeregt beim Altmeister Paul Lincke erschien und freudig berichtete: «Stellen Sie sich vor, ich habe es geschafft! Ich darf die Musik zu einem abendfüllenden Film schreiben!» Worauf der Vater der Berliner Operette warnend den Zeigefinger hob: «Dann nehm' Se sich man in acht, junger Mann! Jelegenheit macht Diebe!»[80]

Nur wenn ein tatsächlich begabter Musiker mit dem Material der Kinotheken arbeitete, entstand eine originäre filmmusikalische Leistung. Der Kom-

78 Der Kinematograph. – Berlin (1911) 255.

79 Thiel, Wolfgang: Filmmusik in Geschichte und Gegenwart. – Berlin, 1981. – S. 123.

80 Nach: Stemmle, Robert Adolf: Die Zuflöte. – Berlin, 1940. – S. 43.

ponist Paul Dessau, damals in der Position eines Kapellmeisters an der Städtischen Oper Charlottenburg tätig, kündigte im Juni 1928 nach einem Zerwürfnis mit seinem Chef Bruno Walter die Theaterarbeit und wurde Dirigent des 15-Mann-Orchesters im Kino Alhambra in Schöneberg. Sehr rasch fand seine Arbeit Beachtung in der Öffentlichkeit: «Ein Ja dem Dirigenten des Alhambra! Das ist einer der ganz wenigen auf dem Gebiet der Filmmusik, die nach neuen Wegen fahnden. Hier ist Fingerspitzengefühl, virtuose Beherrschung der Ausdrucksmittel, hier ist freches, unbekümmertes Musizieren, keine Kartothekschluderei, wie es heute überall gang und gäbe geworden ist.»[81] Kino-Dirigenten à la Dessau aber waren rar gesät in der Landschaft der musikalischen Illustratoren.

Erst als die Filmgesellschaften dazu übergingen, für ihre künstlerisch ambitioniertesten Projekte Originalpartituren in Auftrag zu geben und das Notenmaterial zusammen mit der Filmkopie zu verschicken, war die Geburtsstunde einer tatsächlich dramaturgisch funktionierenden Filmmusik gekommen. Nach ersten Anfängen in der «Film d'Art»-Bewegung der Jahre 1907 bis 1912 in Frankreich wurden die zwanziger Jahre zur Blütezeit der Original-Stummfilmmusiken. Die großen Filmpaläste erweiterten nun ihre Orchester bis zu sinfonischer Dimension, der Ufa-Palast am Zoo z.B. beschäftigte ab 1924 nicht weniger als 75 Musiker, der Tauentzien-Palast zwischen 60 und 70 usw. Die Kompositionen stammten zum größten Teil von Musikern, die über praktische Erfahrungen im Metier verfügten und bereits auch als Kino-Dirigenten gearbeitet hatten. Die Musik zu Murnaus *Nosferatu* schrieb 1922 Hans Erdmann; Giuseppe Becce schuf 1926 die Partitur zu *Tartüff*, gleichfalls von Murnau; zu Fritz Langs *Nibelungen* (1924) und *Metropolis* (1926) stammte die Begleitung von Gottfried Huppertz. Besondere Berühmtheit als Filmkomponist erlangte Edmund Meisel – seit 1924 Mitarbeiter von Erwin Piscator und ab 1927 Musikalischer Leiter der Piscator-Bühnen – durch seine vielbeachteten Musiken zu Ruttmanns *Berlin – Die Sinfonie der Großstadt* (1927) und den beiden sowjetischen Eisenstein-Filmen *Panzerkreuzer Potemkin* (1926) und *Zehn Tage, die die Welt erschütterten* (1929). Meisel dirigierte seine Musiken im Tauentzien-Palast persönlich, während z.B. der Ufa-Palast am Zoo den aus Hollywood nach Berlin gekommenen Ernö Rapée und Guido Bagier als Dirigenten beschäftigte.

Beide hatten einen großen Apparat zu lenken: Neben der Leitung des Orchesters gaben sie mittels verschiedener am Pult angebrachter Knöpfe dem Vorführer wie dem Beleuchter des Hauses Einsatzzeichen für die Betätigung des Vorhangs, für den Filmstart sowie für die unterschiedlichen Lichtstimmungen im Hause. Dabei ging es vor allem bei Premieren äußerst hektisch zu. Guido Bagier erinnert sich an die verunglückte Uraufführung von *Kriemhilds Rache*, dem zweiten Teil des Langschen *Nibelungen*-Films, 1924 im Ufa-Palast am Zoo: «Man hatte, nachdem der Termin bereits zweimal ver-

81 Die Welt am Abend. – Berlin (1928-10-19).

schoben worden war, da der Regisseur dauernd den Schnitt änderte, endgültig die festliche Aufführung auf den 24. Februar gelegt. Alles, was es in Berlin an bedeutenden Menschen und offiziellen Persönlichkeiten gab, war eingeladen, der Ufa-Palast in rotem Samt und mit dicken Teppichen neu hergerichtet, über und über mit Blumen geschmückt. Der Tag der Premiere kam heran, aber der Komponist der Musik wartete immer noch auf die endgültige Fassung der letzten beiden Akte. Es wurde zehn Uhr, zwölf Uhr mittags, zwei Uhr nachmittags – man wartete und wartete, aber der ersehnte Bote mit der Kopie aus Neubabelsberg traf nicht ein. Der Kapellmeister begriff nun allmählich, daß er am Abend die Musik improvisieren mußte. Nachdem man eine halbe Stunde gewartet hatte und das elegante Publikum unruhig wurde, begann man notgedrungen, den Film vorzuführen. Als der vierte Akt lief, wurde aus Neubabelsberg telefonisch mitgeteilt, der fünfte Akt sei unterwegs. Er traf ein, als nur noch kaum hundert Meter auf der Rolle waren. Man legte den neuen Akt in fieberhafter Eile in den zweiten Projektor ein, gerade noch rechtzeitig, um überblenden zu können. Die Rolle des fünften Aktes wurde kleiner und kleiner, der Vorführer verlangsamte das Tempo auf 24, 23, 20 Bilder pro Sekunde, der Kapellmeister dehnte entsprechend die Musik. Aus seinem Allegro wurde ein Adagio – nichts vom letzten Akt zu sehen: Neubabelsberg antwortete auf telefonische Rückfragen nicht mehr. War nun der letzte Akt unterwegs? Man wußte es nicht! Der

Von dem Architekten Erich Mendelsohn stammten 1929 die Entwürfe für den letzten Großkinobau in Berlin während der Weimarer Republik: das Universum am Kurfürstendamm/Ecke Lehniner Platz. Mit seiner funktionalen Architektur zählt es zu den gelungensten Lichtspieltheatern der zwanziger Jahre. Heute ist das Gebäude Domizil der Berliner «Schaubühne».

Ab 1926 mußte die Ufa durch Verträge mit amerikanischen Firmen in ihren Lichtspieltheatern Termine für die USA-Produktion reservieren. Das Foto des Zoo-Palastes von 1929 zeigt die aufwendige Außenreklame für den Paramount-Fliegerfilm *Wings* (Regie: William Wellman).

Die Außenwerbung des Gloria-Palastes für den Murnau-Film *Tartüff* (1926) stellt den Dirigenten des Kino-Orchesters gleichrangig zwischen die beiden Hauptdarsteller.

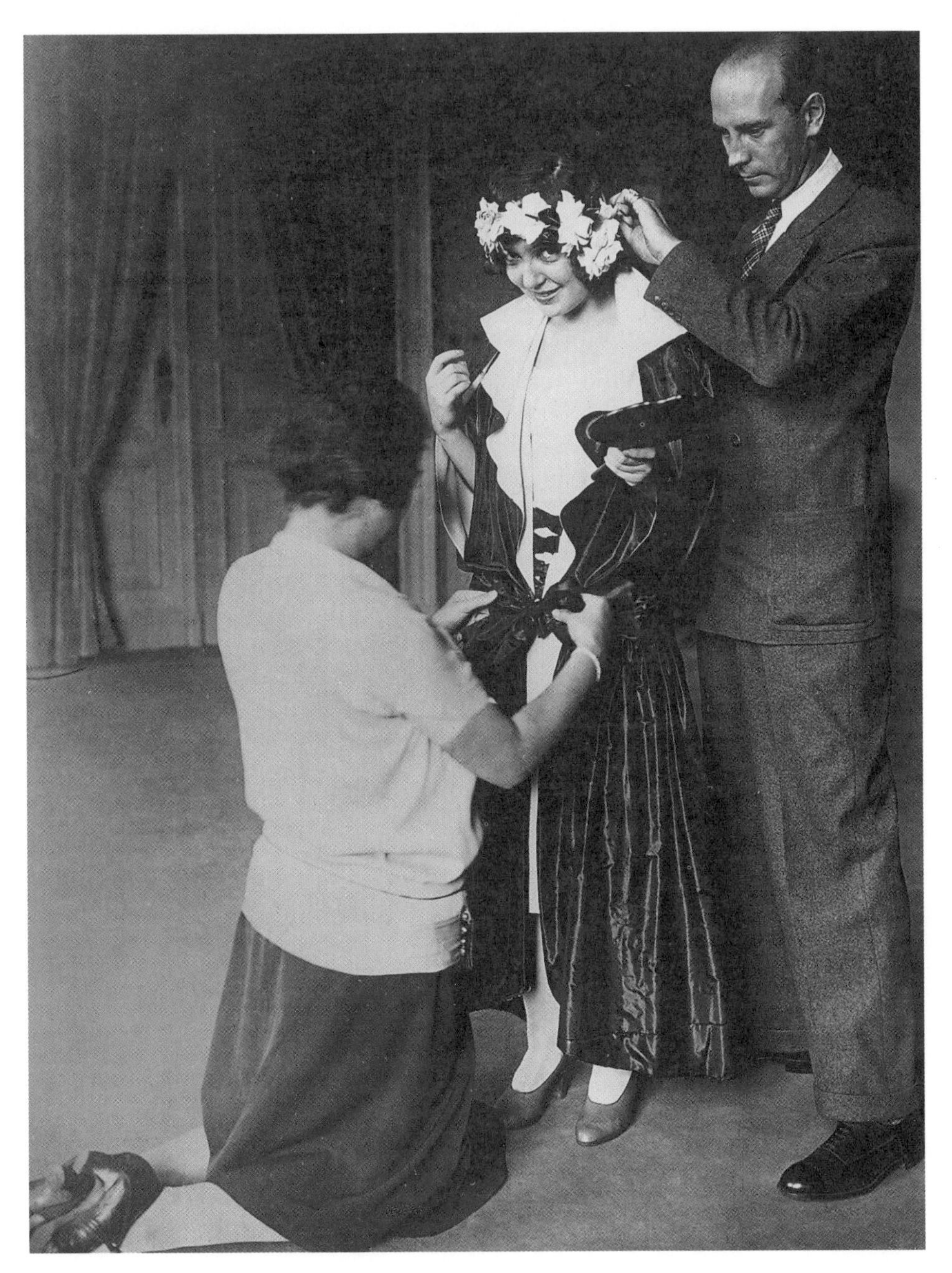

Filmpremieren in Anwesenheit der Stars zählten zu den gesellschaftlichen Ereignissen von Berlin. Die Original-Bildunterschrift dieser Aufnahme von 1929 lautet: «Dita Parlo wird von dem Hollywooder Modeschöpfer René Hubert für die Premiere des Joe-May-Films *Heimkehr* im Gloria-Palast angekleidet.»

fünfte Akt war zu Ende, das Licht im Theater flammte auf, der Direktor trat vor die Rampe und bat das Publikum um wenige Minuten Geduld. Aus fünf Minuten wurden zehn, aus ihnen zwanzig, dreißig – endlich, nach einer halben Stunde, begann man, das Theater zu verlassen. Der große Film konnte nicht zu Ende geführt werden – man erzählte sich, der Regisseur habe einen Nervenzusammenbruch erlitten.»[82] Die «richtige» Premiere fand dann am darauffolgenden Abend statt.

Die Partituren der Stummfilm-Originalmusiken wanderten mit dem Aufkommen des Tonfilms für viele Jahre in die Archive. Erst das letzte Jahrzehnt hat mit Rekonstruktionen und vielbeachteten Wiederaufführungen nachdrücklich auf die musikalisch-dramaturgische Qualität dieser Arbeiten verwiesen, die die Höhepunkte des Stummfilms mitgeprägt haben.

Ab Herbst 1929 erfolgte nach anfänglichem Zögern der Branche die Umrüstung der insgesamt 358 Berliner Lichtspieltheater auf die Technik des Tonfilms – innerhalb von knapp drei Jahren wurden die Projektionsmaschinen ausgewechselt, Verstärker und Lautsprecher installiert. Die großen Kino-Paläste gaben dabei das Tempo an, sie wollten die ersten sein, die ihrem Publikum die neuen «sprechenden Filme» präsentierten; und sie verfügten auch ohne Schwierigkeiten über das dafür notwendige Kapital. Verzeichnete die Statistik Ende 1929 in Berlin 42 «Tonfilmkinos», davon 19 große Häuser, so waren es Anfang August 1930 136, darunter alle 33 Großkinos, Ende 1930 bereits 210, ehe dann am 1. August 1932 die Umstellung in allen Theatern abgeschlossen werden konnte. Der Stummfilm gehörte endgültig der Vergangenheit an. Die «tönende Leinwand» wurde zum neuen Massenvergnügen für die Berliner: Im Jahr 1930 konnten in der Stadt nicht weniger als 58 Millionen Kinobesucher registriert werden.

82 Bagier, Guido: Das tönende Licht. – Berlin, 1943. – S. 384 f.

Anbruch der Tonfilmära

Tobis und Ufa-Klangfilm

Am 12. März 1929 erlebte das Publikum im Berliner Tauentzien-Palast die Premiere des «ersten deutschen abendfüllenden Tonfilms» *Melodie der Welt*, eines Dokumentarfilms von Walter Ruttmann mit Szenen aus dem Leben in verschiedenen Ländern, der den Versuch unternahm, Musik, Geräusche und Gesprächsfetzen zu neuen Rhythmen zu kombinieren. Ende des Jahres waren dann die ersten vier «tönenden» Spielfilme zu sehen. Schon 1930 betrug der Anteil des Tonfilms an der deutschen Spielfilmproduktion 101 von insgesamt 146 Streifen; und 1931 befanden sich unter den 144 Produktionen noch ganze zwei Stummfilme. In nur zwei Jahren hatte sich die bis heute entscheidendste technische Revolutionierung des Mediums Film vollzogen – und doch erfolgte sie mit der Verspätung von fast einem Jahrzehnt! Es ist die verwickelte Geschichte einer Berliner Erfindung, die auf dem Umweg über die Schweiz und die USA dem Tonfilm schließlich auch in Deutschland zum Durchbruch verhalf.

So alt wie die Kinematographie waren auch die Experimente, das «lebende» Bild mit der «tönenden» Schallplatte zu kombinieren. Von Edisons ersten Versuchen bis zu Meßters «Tonbildern» reichten die Arbeitsergebnisse der Jahre 1890 bis 1910, auch danach wurde noch bis etwa 1929 in mehreren Ländern, darunter in Deutschland, das «Nadeltonverfahren» benutzt, das sich aber letztlich infolge der begrenzten Spieldauer der Schellackplatten nicht durchsetzen konnte.

Die Lösung des Tonfilmproblems brachte das «Lichttonverfahren», bei dem Schallschwingungen in Lichtschwankungen umgewandelt und auf dem Filmstreifen parallel zum Bild aufgezeichnet werden. Aufbauend auf Entwicklungen in der Physik und der Elektronik (erst die Erfindung der Elektronenröhre machte es möglich), wurde das Verfahren ab 1918 von den drei Berliner Technikern Joseph Masolle, Hans Vogt und Joseph Engl entworfen und praktisch erprobt. Sie nannten ihre Erfindung «Triergon» (Das Werk der drei) und ließen sie mit einer Vielzahl einzelner Patente zwischen 1919 und 1922 schützen.

Der Physiker Dr. Engl und die beiden Feinmechaniker Vogt und Masolle hatten sich im letzten Kriegsjahr als Heeresfunker kennengelernt und beschlossen, nach der Demobilisierung gemeinsame Experimente zu beginnen. In einem ehemaligen Blumenladen in der Babelsberger Straße 49 begründeten sie Anfang 1919 ein Laboratorium für Kinematographie. Etwa zur gleichen Zeit begannen in Berlin auch die technischen Vorarbeiten für die Einführung des Rundfunks. Im März 1921 fand in den Räumen des Triergon-Laboratoriums vor einigen geladenen Gästen die erste Vorführung eines kurzen «sprechenden» Films statt: eine Aufnahme von Goethes *Heideröslein* mit der Schauspielerin Friedel Hintze. Das Ergebnis ermutigte zu intensiver Weiterarbeit, man gab sich den offiziellen Namen Triergon-Gruppe und bezog neue, größere Arbeitsräume in der Köpenicker Straße 38–40. Dort entstand Ende 1921 der zwanzigminütige Film *Der gestörte Geburtstag*, in dem ein Verwandlungskünstler verschiedene Rollen spielte und sprach. Ein reichliches Jahr später erlaubte der erreichte technische Standard die erste Präsentation des Triergon-Verfahrens in der Öffentlichkeit. Am 17. September 1922 fand um elf Uhr vormittags im Filmtheater Alhambra, Kurfürstendamm 69, die «Erstaufführung akustischer Filme» statt. Doch die Presse reagierte äußerst zurückhaltend, ja in der Mehrzahl ablehnend. Man war zwar von der «frappierenden Zeitübereinstimmung zwischen Bild und Ton» ziemlich überrascht, doch für «künstlerische Zwecke» sei das neue Verfah-

Joseph Engl (links), Joseph Masolle und Hans Vogt führten 1922 in Berlin ihre Erfindung, das Lichttonverfahren «Triergon», vor. Im Vordergrund stehen die neuentwikkelten elektrostatischen Lautsprecher.

ren denn doch ungeeignet: «Der Film bleibt stumm, und das ist wahrscheinlich sein Glück.»[83]

Fast genau drei Jahre zuvor, im November 1919, war die erste Experimentalvorführung des «drahtlosen Rundfunks» in Berlin ebenso einhellig abgelehnt worden. Da jedoch hinter dieser Entwicklung das mächtige Reichspostministerium stand, wurden die Arbeiten dennoch weitergeführt und finanziell kräftig gefördert – ab Ende 1923 begann die rasche Einführung des Rundfunks in ganz Deutschland.

Den Triergon-Leuten aber fehlte solche Unterstützung. Die Filmindustrie – immer nach den USA blickend, wo es zu dieser Zeit noch keine vergleichbaren Tonfilmversuche gab – zeigte kein Interesse, zumal sich Deutschland gerade mitten im ersten Höhepunkt der Inflation befand. Wer wollte da in die Erfindung dreier unbekannter Ingenieure investieren? So kam es, daß Masolle, Vogt und Engl im Sommer 1923 einen Vertrag mit einer Schweizer Kapitalgruppe abschlossen, in dessen Ergebnis in Berlin die Triergon-Betriebsgesellschaft mbH gegründet wurde. Vom 23. August bis Mitte September veranstaltete sie im Schubertsaal neue Demonstrationsvorführungen, und am 11. Januar 1924 wurde im Marmorhaus der «sprechende Film» *Ein Tag auf dem Bauernhof* gezeigt. Guido Bagier notierte dazu: «Den Film kennzeichnet die Musik, die man zu hören bekommt..., anständig im Ton und fast ohne jede Verzerrung. Am besten kommen die Geräusche heraus, schlecht ist es noch mit der Sprache bestellt.»[84]

Jetzt, im Frühjahr 1924, begann sich endlich die Ufa erstmals für das neue Verfahren zu interessieren. Generaldirektor Braatz veranlaßte eine Kontaktaufnahme zum Schweizer Anwalt der Triergon-Betriebsgesellschaft, um die patentrechtliche Situation sowie die finanziellen Konditionen zu klären. Das nahm einige Zeit in Anspruch. Triergon war unterdessen nicht untätig und startete eine große Demonstrationstournee durch zahlreiche Städte Deutschlands, nun bereits mit einem anderthalbstündigen Programm, bestehend aus gefilmten Opernarien, Rezitationen, einem Violoncello-Stück, dem *Bauernhof*-Film und einem Triergon-«Filmvarieté». Die Aufnahme beim Publikum war äußerst günstig.

Da die Ufa immer noch zögerte, wurden in Zürich die Rechte des Triergon-Verfahrens an eine Gruppe Schweizer Textilindustrieller verkauft, die daraufhin eine Triergon AG gründeten. Der Wert des Objekts war weiter gestiegen, da die Deutschlandtournee in wenigen Monaten einen Reingewinn von 150000 Reichsmark erbracht hatte. Endlich schloß die Ufa am 11. Januar 1925 einen Vertrag mit der Triergon AG ab, der ihr eine Lizenz für Deutschland und gleichzeitig bis zum Jahresende die Option für den Erwerb aller Weltrechte einräumte. Das war eine große Chance. Doch wieder ließ man in der Direktion der Ufa kostbare Zeit verstreichen, erst am 1. Juli 1925 wurde eine Triergon-Abteilung der Ufa unter Leitung von Guido Bagier ein-

83 Zit. nach: Meßter, Oskar: Mein Weg mit dem Film. – Berlin, 1936. – S. 70.

84 Bagier, Guido: Das tönende Licht. – Berlin, 1943. – S. 375.

Die Luftaufnahme zeigt das «Tonkreuz-Studio» in Neubabelsberg, das die Ufa im Herbst 1929 errichtete.

gerichtet, die ihre Zelte in Neubabelsberg aufschlug. Dort waren die Reaktionen eisig: «Wir stoßen bei den Leuten des stummen Films auf den hartnäkkigsten Widerstand. Man will von unseren ‹nutzlosen Experimenten› nichts wissen.»[85]

Schon nach vier Wochen mußte die Abteilung nach Weißensee, in das Glashaus des ehemaligen May-Ateliers, umziehen, das die Ufa gepachtet hatte. Nachdem ursprünglich die Herstellung eines abendfüllenden Films geplant war, entschied die Direktion – erneut halbherzig gegenüber dem neuen Verfahren –, daß lediglich ein 20-Minuten-Demonstrations-Spielfilm aufgenommen werden sollte. Nach einem Drehbuch von Hans Kyser entstand daraufhin im November/Dezember 1925 bei der Triergon-Abteilung der Ufa *Das Mädchen mit den Schwefelhölzern* nach dem Märchen von Andersen. Der Film wurde am 21. Dezember 1925 im Mozartsaal als «experimentelles» Beiprogramm gezeigt. Seine technische Qualität war für die Ufa-Direktion nicht überzeugend, außerdem befand sich der Konzern in ernsten finanziellen Schwierigkeiten, die weitere Investitionen nicht geraten erscheinen ließen. So traf man eine folgenschwere Fehlentscheidung: zunächst Verzicht auf die Triergon-Weltrechte und kurz darauf auch Kündigung der deutschen Rechte. Die Triergon-Abteilung wurde aufgelöst, ihr Leiter entlassen.

Jetzt überstürzten sich die Ereignisse. Die Züricher Unternehmergruppe verkaufte am 1. März 1926 für 50 000 Dollar die Triergon-Rechte für die

85 Bagier, Guido: Das tönende Licht. – Berlin, 1943. – S. 398.

Tonfilm-Pionier Guido Bagier (Mitte) und der Tenor Erik Wirl bei Aufnahmearbeiten zu den ersten Tobis-Kurztonfilmen 1928 in Berlin-Marienfelde

USA an William Fox, den Präsidenten der Fox Film Corporation. In Amerika war zu dieser Zeit durch die Firma Warner Brothers intensiv die Entwicklung des Nadeltonverfahrens betrieben worden, dem Fox nun auf der Grundlage der Triergon-Rechte sein Lichttonverfahren «Movietone» entgegensetzte. Am 6. Oktober 1927 startete Warner Brothers den Nadelton-Spielfilm *The Jazz Singer* mit Al Jolson in der Hauptrolle. Kurz zuvor hatte Fox seine «tönende Wochenschau» *Movietone News* mit Lichtton herausgebracht, der sich kurz darauf endgültig durchsetzen sollte. Ganz New York befand sich im Tonfilmfieber, als der von Hugenberg neuernannte Ufa-Generaldirektor Ludwig Klitzsch im November 1927 die Stadt besuchte. Noch immer aber erkannte er die Zeichen der Zeit nicht.

In Berlin hatten sich mittlerweile die Triergon-Erfinder nach ihrer Enttäuschung mit der Ufa vom Film zurückgezogen und 1926 die Schallplattenfirma Triergon-Musik AG gegründet. Nur Guido Bagier gab nicht auf, er beschaffte Geld und erreichte eine Wiederaufnahme der Filmarbeiten. Die noch bei der Ufa lagernden Gerätschaften wurden zurückgekauft und in Marienfelde, im alten Eiko-Atelier, ein neuer Triergon-Demonstrationsfilm hergestellt. Im Dezember 1927 führte man ihn im Preußischen Kultusministerium vor. Obwohl die Nachrichten vom sensationellen Erfolg des Tonfilms in den USA hier durchaus bekannt waren, lehnte die Regierung eine finanzielle Beteiligung ab und verwies weiterhin auf die Industrie. Doch auch die Verhandlungen mit AEG und Siemens (beides Großaktionäre der Ufa) verliefen ergebnislos.

Daraufhin nahm die Triergon AG Kontakte mit Holland und Dänemark auf, wo gleichfalls am Tonfilm gearbeitet wurde. Nach mehrmonatigen Verhandlungen erfolgte dann am 15. August 1928 im Berliner Hotel Kaiserhof die Gründung der Tonbild-Syndikat AG (Tobis), einer gemischten holländisch-schweizerisch-deutschen Gesellschaft. Unmittelbar darauf begann die Tobis unter maßgeblicher Beteiligung von Guido Bagier in Berlin mit der Produktion von Kurztonfilmen: Gesangsvorträge, Tanzorchester-Nummern sowie Kurzszenen, unter anderem mit Paul Graetz und Paul Wegener, die ab 16. Januar 1929 im Beiprogramm einiger speziell dafür ausgerüsteter Berliner Lichtspieltheater liefen. Mit Ruttmanns *Melodie der Welt* brachte die Tobis dann im März den ersten abendfüllenden Tonfilm heraus.

Nun erwachte endlich auch die Ufa aus ihrer Lethargie. Alfred Hugenberg persönlich ordnete im Frühjahr 1929 die Umstellung auf den Tonfilm an, da die Erfahrungen der amerikanischen Elektrokonzerne vor allem bei der Umrüstung der Kinos auf neue Projektoren ein sich anbahnendes Großgeschäft signalisierten. Deutschland verfügte immerhin über 5200 Lichtspieltheater! Unter führender Beteiligung von AEG und Siemens wurde im März 1929 die Klangfilm GmbH gegründet und begonnen, sowohl Aufnahmetechnik für die Ufa als auch Wiedergabegeräte zu produzieren. Im April beschloß der

Der «Tongalgen» zur Befestigung der Mikrophone über der Szene gehörte ab 1929 zur neuen Ausrüstung der Ateliers.

Aufsichtsrat der Ufa den Neubau von vier Tonfilmateliers in Neubabelsberg – nach neuesten Gesichtspunkten der Film-Architektur als großer kreuzförmig angelegter Bau –, so daß die gleichzeitige Nutzung aller vier Ateliers möglich war. Dicke Mauern sollten alle von draußen kommenden Geräusche fernhalten. Nach einer Rekordbauzeit von nur fünf Monaten wurde das «Tonkreuz» Ende September in Betrieb genommen. «Die Ufa hat ihre Tonfilmproduktion zunächst mit einem Bauprogramm von sechs Millionen Mark begonnen. In Neubabelsberg steigen trutzige Festungen auf – Sing-Sing ist ein Kartenhaus dagegen. Nur wenn die Eisenbahn vorbeifährt, soll das dem Tonfilm nicht zuträglich sein. Aber auch dieser kleinen Störung werden die Festungsbaumeister schon noch Herr werden.»[86] Die vier Ateliers (zwei mit je 450 Quadratmetern, zwei mit je 600 Quadratmetern) waren kreuzförmig um einen Innenhof angeordnet, dort lagen die zentralen Tonkameraräume.

Die Tobis hatte mittlerweile ihre Apparaturen im angemieteten Tempelhofer Atelier der Ufa und im Eiko-Atelier Marienfelde installiert. Noch bevor man eigene Spielfilme zu produzieren begann, wurde das Tobis-Verfahren gegen entsprechend hohe Bezahlung für die Spielfilmproduktion kleinerer Firmen verwendet. Von den ersten vier im Lichttonverfahren hergestellten deutschen Spielfilmen, die noch im Jahre 1929 in Berlin Premiere hatten, entstanden drei mit dem Tobis-Verfahren, nur einer kam vom Ufa-Klangfilm.

Den Reigen eröffnete am 30. September der Abenteuerfilm *Land ohne Frauen* (F.P.S. Film GmbH, Regie: Carmine Gallone), der eigentlich erst ein «halber» Tonfilm war und noch große stumme Teile enthielt. Die gesprochenen Dialogsequenzen kommentierte Rudolf Arnheim sehr sarkastisch: «Es geschah also, daß Conrad Veidts alte Mutter den Mund öffnete und mit der Trompetenstimme eines versoffenen Elefanten Trostworte flüsterte, die der Sohn nicht weniger sonor, jedoch unter Zermalmung aller S-Laute, beantwortete.»[87] Am 30. November 1929 folgte als «erster deutscher hundertprozentiger Spieltonfilm» *Dich hab ich geliebt* (Aafa Film AG, Regie: Walter Fein). Erst danach, am 15. Dezember, feierte die Ufa ihre erste Tonfilmpremiere *Melodie des Herzens* (Regie: Hanns Schwarz, mit Willy Fritsch und Dita Parlo) – wie Lotte H. Eisner schrieb, «alle Suggestion des Kitsches in Öldruckmanier».[88] Schließlich präsentierte die Froelich-Film GmbH am 21. Dezember *Die Nacht gehört uns* (Regie: Carl Froelich, mit Hans Albers und Charlotte Ander), nach Alfred Bauer «der endgültige Sieg des sprechenden Films über den Stummfilm»[89] und der endgültige Durchbruch des Filmschauspielers Hans Albers, dank des nunmehr sprechenden Mediums! Noch während der Probeaufnahmen zu dem Film stand er etwas fassungslos vor der komplizierten Tonapparatur. Doch Regisseur Froelich ermunterte ihn: «Mensch, Hans, bleib natürlich! Sprich, wie dir der Schnabel gewachsen ist! Unfrisierte Schnauze, det will ick hier haben!» Viele Wochen später ließ sich

86 Die Weltbühne. – Berlin (1929–07–30).

87 Die Weltbühne. – Berlin (1929–10–04).

88 Eisner, Lotte H.: Die dämonische Leinwand. – Frankfurt a. M., 1980. – S. 332.

89 Zit. nach: Brennicke, Ilona; Hembus, Joe: Klassiker des deutschen Stummfilms. – München, 1983. – S. 257.

Ein Team von «Fox tönende Wochenschau» 1930 bei Dreharbeiten mit dem Aufnahmewagen in der Berliner Motzstraße

Froelich kurz vor der Premiere nochmals den fertigen Film vorführen, nur sein Hauptdarsteller war außer ihm noch anwesend. Staunend sah Albers, wie gelungen vor allem die Sprachaufnahmen waren. Nach kurzer Zeit rief er aus: «Mensch, ich bin ja der größte Schauspieler der Welt! Siehste det nich?»[90]

Auch erste amerikanische und britische Tonfilme waren 1929 nach Deutschland gekommen. Da das Verfahren der Synchronisation fremdsprachiger Filme noch nicht erfunden war, drehte man in den Jahren bis 1932 bei geplantem Einsatz auf fremden Märkten bzw. bei internationalen Koproduktionen mehrere «Versionen» eines Films, d. h., jede Einstellung wurde hintereinander (bei zum Teil wechselnder Schauspielerbesetzung) jeweils in anderer Sprache aufgenommen.

Die anfängliche Skepsis der gesamten Branche – Produzenten, Verleiher, Kinobesitzer – wich nun rasch zunehmender Euphorie. Das große Geschäft der Industrie wurde in den Vorstandsetagen ausgehandelt: Im Oktober 1929 kam es zu einem Abkommen zwischen der Tobis und der Klangfilm GmbH, das der Tobis die alleinige Produktion der Aufnahmetechnik einräumte, während die Klangfilm GmbH (also AEG und Siemens) die Geräte für die Umrüstung der Lichtspieltheater auf Tonfilm produzierte. Inzwischen waren auch heftige internationale Kämpfe zwischen den großen Elektrokonzernen in Europa und den USA um die patentrechtlichen Fragen ausgebrochen – ging es doch um nicht unerhebliche Profite! Man einigte sich schließlich im Frühjahr 1930 in der französischen Hauptstadt. Mit dem «Pariser Filmfrieden» wurden die Auseinandersetzungen beigelegt, von nun an war die rationelle Auswertung der Tonfilme auf beiden Seiten des Atlantik gesichert.

Nach den Anfängen von 1929 brachte das Jahr 1930 den endgültigen Durchbruch des Tonfilms in Deutschland: Von den insgesamt produzierten 146 Spielfilmen waren 101 Tonfilme. Auch die Wochenschauen wurden umgestellt. Es gab 1930 vier auf diesem Gebiet miteinander konkurrierende Unternehmen: die Ufa, die Deutsche Fox, das Deutsche Lichtspiel-Syndikat und die Münchener Emelka. Ihre Produkte hießen nun «Ufa-Tonwoche», «Emelka-Tonwoche» und «Fox tönende Wochenschau». Nur das Lichtspiel-Syndikat behielt die alte Bezeichnung «D.L.S.-Wochenschau» bei.

Nach dem Neubau des «Tonkreuzes» rüstete die Ufa 1930 in Neubabelsberg weiter um. Das Große Glashaus sowie die Nord- und Südateliers der Großen Halle wurden in massive Tonfilmateliers verwandelt. «Damit hatten die Neubabelsberger Ateliers am Beginn der dreißiger Jahre ein Ausmaß von 42 Gebäuden mit 440 Sonderräumen erreicht»[91] – damals die größte Filmstadt Europas. UFA-Stadt, wie man sie gern nannte, verfügte über einen Fundus von 8000 Kostümen, 2000 Perücken und 10000 Möbelstücken. Jährlich verbrauchte man 110000 Kilogramm Farbe, 16000 Zentner Gips und 115000 Quadratmeter Bretter. Nie zuvor gekannte Film-Dimensionen!

90 Nach: Riess, Curt: Das gab's nur einmal. – Hamburg, 1958. – S. 351.

91 Film ... Stadt ... Kino ... Berlin / hrsg. von Uta Berg-Ganschow u. Wolfgang Jacobsen. – Berlin (West), 1987. – S. 180.

Auch die Tobis rüstete weitere Berliner Ateliers mit Tonfilmtechnik aus: das Jofa-Atelier Johannisthal, die Kleine Halle in Staaken und das Grunewald-Atelier. Zusammen mit Neubabelsberg und Tempelhof bestanden damit ab 1930 ausreichende Kapazitäten für die Produktion. Diese wurden, wie die Zahlen belegen, sofort ausgiebig genutzt. Zwar konnten viele kleine Produktionsfirmen der Stummfilmzeit die gestiegenen Herstellungskosten nicht mehr aufbringen und gingen in Konkurs, doch verzeichnete das Register von 1930 noch immer in Berlin 54 spielfilmproduzierende Firmen. Was präsentierte der frühe Tonfilm seinen Zuschauern?

Die Beantwortung dieser Frage macht einen Blick auf die Situation in Deutschland nötig. Die Jahre ab Herbst 1929, da das Kino sprechen lernte, waren gekennzeichnet durch die negativen Auswirkungen der Weltwirtschaftskrise und die damit einhergehende dramatische Zuspitzung der politischen Auseinandersetzung im Lande. Siegfried Kracauer spricht von der «präfaschistischen Zeit»[92]: Bereits 1930 stieg die Zahl der Arbeitslosen auf fünf Millionen, bis Ende 1932 waren siebeneinhalb Millionen Menschen ohne Beschäftigung. Gleichzeitig nahm der Masseneinfluß des deutschnational-faschistischen Blocks zu; die beiden großen Linksparteien SPD und KPD vermochten sich nicht zu geeinter Gegenaktion zusammenzufinden – das Ende der Weimarer Republik war nur noch eine Frage der Zeit. Die krisenhafte Entwicklung wirkte sich auch entscheidend auf die Situation der Künste aus, besonders auf den Film mit seinen von entsprechenden «Appa-

1931 wurde in Berlin-Johannisthal eine neue Schaltstelle für die Klangfilm-Apparaturen in den zehn Ateliers in Betrieb genommen.

92 Kracauer, Siegfried: Von Caligari zu Hitler. – Schriften Bd. 2. – Frankfurt a. M., 1979. – S. 211.

Willy Fritsch im Stummfilm. Szenenfoto aus *Ein Walzertraum* (1925, Regie: Ludwig Berger)

raten» (Brecht) und Finanzen abhängigen Produktionsbedingungen. Unterhaltung wurde großgeschrieben, da die Menschen zahlreich in die Kinos strömten, um für ein paar Stunden dem immer grauer werdenden Alltag zu entfliehen. Zur zweiten Hauptsäule des Tonfilms vor 1933 wurde nationalistische Propaganda in Form der Glorifizierung (auch der «heiteren» Rückschau) «großer» Zeiten deutschen Soldatentums von Preußens Gloria bis zum ersten Weltkrieg. Künstlerisch ambitionierte Versuche mit dem Tonfilm bildeten die Ausnahme; und gesellschaftskritische Streifen, pazifistische Antikriegsfilme oder Darstellungen des proletarischen Lebens blieben dem Engagement einiger weniger Filmfirmen vorbehalten.

Deutschland wurde, so Lotte H. Eisner, von einer Flut publikumswirksamer Filme überschwemmt, «den Kassenfilmen vom Rhein, der schönen blauen Donau, vom Herz, das man in Heidelberg verlor, den hurrapatriotischen Filmen über Friedrich den Großen, die elf Schillschen Offiziere, des Königs Grenadiere und den ersten Weltkrieg»[93].

Dabei ist im Bereich Unterhaltung durchaus zu differenzieren. Die neugewonnene Möglichkeit, nunmehr «Sprechfilme» und «Musikfilme» herzustellen (vor allem die letzteren durften sofort eines Millionenpublikums sicher sein, da jetzt in perfekter Synchronität mit dem Bild Musik und Gesang aus dem Lautsprecher ertönte), führte zunächst zu einer Flut konventioneller

93 Eisner, Lotte H.: Die dämonische Leinwand. – Frankfurt a. M., 1980. – S. 323.

Maria Elsner und Richard Tauber traten zusammen in dem «Musiktonfilm» *Das lockende Ziel* (1930, Regie: Bruno Rahn) auf. Der gefeierte Tenor vermarktete seine Stimme in einer eigenen Filmgesellschaft.

Operettenfilme mit Titeln wie *Das Rheinlandmädel* (Aco Film GmbH), *Walzerparadies* (Deutsches Lichtspielsyndikat), *In Wien hab ich einmal ein Mädel geküßt* (Hegewald Film GmbH) oder *Solang noch ein Walzer von Strauß erklingt* (Splendid-Film). Der vergötterte Tenor Richard Tauber gründete eine eigene Tauber Tonfilmproduktion GmbH und vermarktete seine Stimme und Gestalt in *Das Land des Lächelns* und *Das lockende Ziel*.

Zur Ehre der Ufa sei gesagt, daß sie die erste Musikfilmwelle – «pure» Übertragung erfolgssicherer Operettenmelodien auf die Leinwand – nicht mitging. Dies war erneut das Verdienst von Erich Pommer, der sich sehr früh und sehr intensiv mit den tatsächlichen künstlerischen Mitteln des Tonfilms beschäftigte, auch und gerade im Bereich der Unterhaltung. Die Erich-Pommer-Produktion der Ufa begründete 1930 das neue Genre der «Tonfilmoperette». So sehr ökonomische Gründe dafür gesprochen haben mögen, so sehr war Pommer auch an einer Innovation der verbrauchten Gattung interessiert. «Er betreibt die Auflösung der Operette hin zur musikalischen Komödie, zur Revue; die Musik ist der Star, der Ton das Wunder.»[94] Das geschah übrigens parallel zu durchaus ähnlichen Versuchen auf den Berliner Bühnen.

Bereits in seiner ersten Tonfilmoperette *Liebeswalzer* (1930) führte Pommer all jene Elemente zusammen, die den durchschlagenden Erfolg bringen

94 Jacobsen, Wolfgang: Erich Pommer: Ein Produzent macht Filmgeschichte. – Berlin (West), 1989. – S. 105.

sollten: einen Regisseur mit leichter Hand für komödiantisches Ausspielen der Situationen (Wilhelm Thiele); ein Drehbuch mit Sinn für den gesprochenen, witzigen Dialog (Robert Liebmann); Lieder, die sofort ins Ohr gingen und die man bereits pfeifen konnte, wenn man aus dem Kino kam (Werner Richard Heymann); und die Hauptdarsteller Lilian Harvey und Willy Fritsch, die mit den Tonfilmoperetten rasch zum neuen «Traumpaar des deutschen Films» avancierten. Noch wurde Fritsch in *Liebeswalzer* stimmlich von Leo Monosson gedoubelt, als er die Harvey mit dem Schlager «Du bist das süßeste Mädel der Welt» anhimmelte, doch mit dem nächsten Film sollte sich das ändern. Pommer hatte mit sicherem Blick erkannt, was für die nächsten Jahre Gesetz werden sollte: «Es ist völlig gleichgültig, wer sonst noch in dem Film mitspielt, doch Willy Fritsch muß am Ende Lilian Harvey kriegen!»[95] Fritschs Markenzeichen hatte bereits 1921 eine entscheidende Rolle gespielt, wie er berichtet: «Eines Tages suchte der dänische Regisseur Benjamin Christensen, der für die Ufa den Film *Seine Frau, die Unbekannte* drehte, einen Hauptdarsteller. Unter den 60 Bewerbern, von denen Probeaufnahmen gemacht wurden, befand auch ich mich. Ebenso war ich in der zweiten Auswahl der ‹zehn Übriggebliebenen› vertreten. Man siebte nochmals, schließlich standen der Schwede Einar Hansen und ich zur Auswahl. Erst später erfuhr ich, daß bestimmend für meine Wahl mein Lächeln gewesen war.»[96]

Die drei von der Tankstelle (1930) führten erneut das Team Thiele–Heymann–Harvey–Fritsch zusammen, hinzu kamen Oskar Karlweis und Heinz Rühmann, der hier seinen ersten großen Tonfilmerfolg feierte. Ganz Berlin sang mit den drei jungen Männern von der Tankstelle «Ein Freund, ein guter Freund, das ist das Schönste, was es gibt auf der Welt», und mit Willy Fritsch und Lilian Harvey «Liebling, mein Herz läßt dich grüßen». Weiter folgten die Streifen *Einbrecher* (1930, Regie: Hanns Schwarz, Musik: Friedrich Hollaender) mit dem Fritsch-Hit «Ich laß mir meinen Körper schwarz bepinseln» und *Ein blonder Traum* (1932, Regie: Paul Martin, Musik: Werner Richard Heymann) mit dem von Harvey, Fritsch und Willi Forst im Terzett gesungenen Schlager «Wir zahlen keine Miete mehr». Dazwischen lag, als Höhepunkt der Tonfilmoperette, *Der Kongreß tanzt* (1931, Regie: Erik Charell), der zum größten Kinoerfolg vor 1933 geriet. Die amouröse Romanze eines kleinen Ladenmädels mit Zar Alexander von Rußland zur Zeit des Wiener Kongresses von 1814/15 (Drehbuch: Norbert Falk und Robert Liebmann) hatte zwar wenig mit der tatsächlichen Historie zu tun, doch Conrad Veidt als intriganter Fürst Metternich, Adele Sandrock als alte Fürstin und erneut das Paar Harvey/Fritsch begeisterten das Publikum. «Das gibts nur einmal, das kommt nicht wieder...» – das Lied der Christel aus dem Film kann für das gesamte Genre stehen, das einen durchaus eigenständigen Beitrag des frühen deutschen Tonfilms für die Entwicklung des

95 Nach: Riess, Curt: Das gab's nur einmal. – Hamburg, 1958. – S. 385.

96 Zit. nach: Weinschenk, H. E.: Schauspieler erzählen. – Berlin, 1941. – S. 69.

Der Produzent Erich Pommer begründete bei der Ufa mit den Tonfilmoperetten ein neues, äußerst publikumswirksames Genre. Die Aufnahme von 1930 zeigt ihn gemeinsam mit dem «Traumpaar des deutschen Films» Lilian Harvey und Willy Fritsch bei der Ankunft in Wien zur österreichischen Premiere ihres Films *Liebeswalzer*.

neuen Mediums darstellte. Natürlich rankten sich um die Tonfilmoperette sowie um die Popularität ihrer Stars auch zahlreiche Anekdoten. Drei davon sollen hier erzählt werden:

Während der Aufnahmen zu *Der Kongreß tanzt* spricht ein österreichischer Schauspieler, als Hofrat dem Fürsten Metternich alias Conrad Veidt zugewandt, den Satz: «Majestät, das wäre ein Segen für ganz Eiropa.» Sofort verbessert Regisseur Erik Charell: «Eu! Eu! Europa, nicht Eiropa! Bitte noch einmal.» Wieder jedoch folgt «Eiropa». Charell behält seine Ruhe, der Schauspieler nimmt einen dritten Anlauf: «Majestät, das wäre ein Segen für ganz Eiropa . . . Bitte, Herr Regisseur Charell, kann ich nicht lieber Asien sagen?»[97]

In der Ufa-Kantine Neubabelsberg ist ein neuer Kellner eingestellt worden. Das Telefon läutet, er geht an den Apparat. «Wer bitte? Herr Willy

Heinz Rühmann, Oskar Karlweis und Willy Fritsch spielten in der erfolgreichen Tonfilmoperette *Die drei von der Tankstelle* (1930, Regie: Wilhelm Thiele) drei verliebte Junggesellen.

97 Nach: Stemmle, Robert Adolf: Die Zuflöte. – Berlin, 1940. – S. 40.

Fritsch? Augenblick!» Es folgt ein prüfender Blick in die Runde an dem langen Tisch, in der auch Fritsch sitzt. Keiner sagt ein Wort, auch der Gesuchte schaut wie verabredet zur Seite. Darauf der Kellner am Telefon: «Ist nicht hier!» Als er eingehängt hat, ertönt lautes Gelächter, alle zeigen auf Fritsch: «Na? Und wer ist das hier?» Ungerührt zuckt der Kellner die Achseln: «Man kann doch nicht jeden kennen!»[98]

Am Nachmittag einer großen Filmpremiere in Wien macht Willy Fritsch noch einige Einkäufe. Eine blonde, sehr hübsche Verkäuferin bedient ihn. Fritsch nennt sein Hotel und fragt, ob man ihm die Sachen bis zum Abend dorthin schicken könne. «Aber g'wiß, Herr Fritsch», knickst das Fräulein. Darauf er: «Danke schön – aber vergessen Sie nicht die Adresse!» «G'wiß nicht», haucht das Fräulein und errötet. Am Abend waren alle Pakete pünktlich im Hotel. Obenauf lag die Adresse der hübschen Verkäuferin.[99]

Die Dreharbeiten zu der Ufa-Tonfilmoperette *Ein blonder Traum* (1931, Regie: Paul Martin) führten die Hauptdarsteller (von links) Willy Fritsch, Lilian Harvey und Willi Forst sowie den Komponisten Werner Richard Heymann (stehend) auch auf die Dächer von Berlin.

98 Nach: Ebenda, S. 27.

99 Ebenda.

Zur erfolgreichsten Ufa-Tonfilmoperette wurde 1931 *Der Kongreß tanzt.* Die Filmwerbung – hier die Fassadengestaltung des Ufa-Palastes am Zoo – trug entsprechend dazu bei.

Schlager waren es auch, die nicht unwesentlich zum Welterfolg eines weitaus ambitionierteren Projekts von Erich Pommer beitrugen. In Amerika hatte er vergeblich versucht, nach den großen Filmen der Jahre bis 1925 einen neuen Streifen mit Emil Jannings zu produzieren. Nun stimmte im Sommer 1929 die Ufa-Direktion diesem Plan zu. Der aus Wien stammende USA-Regisseur Josef von Sternberg wurde verpflichtet, vorgesehen war die Verarbeitung eines Rasputin-Stoffes. Am 16. August 1929 traf Sternberg in Berlin ein. Doch er zeigte wenig Interesse am Rasputin. Daraufhin brachte Emil Jannings Heinrich Manns Roman *Professor Unrat* ins Gespräch. Der Regisseur war einverstanden; unmittelbar darauf erwarb die Ufa die Filmrechte und beauftragte die beiden Schriftsteller Karl Vollmoeller und Carl Zuckmayer mit der Bearbeitung des Romans. Am endgültigen Drehbuch arbeitete auch Robert Liebmann mit. Die Besetzung des Professor Rath mit Jannings stand von Anbeginn fest, nun suchte man eine Darstellerin für die Tingeltangelsängerin Lola-Lola. Mehrere Schauspielerinnen waren im Gespräch, doch die Entscheidung fiel, als Pommer und Sternberg im September 1929 Georg Kaisers Revuestück *Zwei Krawatten* im Berliner Theater in der Charlottenstraße besuchten. Hans Albers und Marlene Dietrich spielten dort die Hauptrollen und sangen Chansons von Mischa Spoliansky. Beide wurden für den Film verpflichtet – Marlene für die Lola und Albers für die Rolle des Artisten Mazeppa. Schon 1926 hatte keine geringere Künstlerin als Claire Waldoff Marlene eine große Karriere vorausgesagt. Damals, ihr Stern war noch nicht aufgegangen, wirkte die Dietrich als Chorgirl in der Charell-Revue *Von Mund zu Mund* mit. Eines Tages war eine Darstellerin erkrankt, und Marlene übernahm am Abend deren Rolle. Nach der Vorstellung bemerkte der Star der Revue in unverfälschtem Waldoff-Idiom: «Wie scheen det Kind ist! Und die Beene! Ik sare nur – die Beene! Aus der kann wat wern!»[100]

Die Dietrich hatte seit 1923 bereits in insgesamt 16 Stummfilmen mitgewirkt, darunter zuletzt auch in zwei Hauptrollen zusammen mit Fritz Kortner (*Die Frau, nach der man sich sehnt* und *Das Schiff der verlorenen Menschen*, beide 1929), doch nun sollte sie beinahe über Nacht zum Weltstar werden. Am 9. Oktober unterschrieb sie bei der Ufa ihren Vertrag, ihre Gage betrug nur ein Zehntel der Summe, die der berühmte Jannings erhielt. Am 4. November begannen in Neubabelsberg die Dreharbeiten zu *Der blaue Engel*, die Ende Januar 1930 abgeschlossen wurden. Friedrich Hollaender komponierte die Musik und schrieb zusammen mit Robert Liebmann die Liedtexte, darunter «Ich bin die fesche Lola» und «Nimm dich in acht vor blonden Frau'n». Beinahe in letzter Minute fiel ihm jenes Stück ein, das in Marlenes unvergleichlicher Interpretation längst zur Legende geworden ist: «Ich bin von Kopf bis Fuß auf Liebe eingestellt . . .».

Der blaue Engel erlebte seine Premiere am 1. April 1930 im Berliner Gloria-Palast. Bereits während der Vorstellung gab es erste Beifallsstürme, am

100 Nach: Riess, Curt: Das gab's nur einmal. – Hamburg, 1958. – S. 341.

Ende dann «ungezählte Vorhänge für Emil Jannings und Marlene Dietrich», wie der Film-Kurier unter der Schlagzeile «Die Festvorstellung» berichtete.[101] Kurt Pinthus würdigte die bahnbrechende Leistung, die hier gelungen war: «Mit dem Tonfilm *Der blaue Engel* rückt also die deutsche Produktion, nach den in ihrer Starrheit so filmfremd albernen Liederbildern und nach den soldatischen Streifen, in die Weltproduktion ein, durch technische wie durch geistige Qualität, nämlich der Motive, Menschenschilderung, Milieuzeichnung. Nicht zum wenigsten auch durch unseren Emil Jannings... Und durch die bislang fast unbekannte Marlene Dietrich, die, auf hohen Schenkeln, blöd schön und schön blöd, auf der Brettlbühne und in diesem Tonfilm steht, stimmlich zwar noch nicht klar genug, aber hinreichend ordinär in der Passivität ihres Sex Appeals und im Umkippen der hohen Gesangstöne in kehlhaft tiefe Abgründe.»[102] Marlene Dietrich hatte bereits während der Dreharbeiten einen Hollywoodvertrag abgeschlossen, noch in der Nacht nach der Premiere verließ sie mit Josef von Sternberg Berlin via USA. Ihre darauffolgende Weltkarriere hatte sie mit *Der blaue Engel* begründet, der auch in englischer Version produziert worden war (Jannings und die Dietrich unverändert in den Hauptrollen, da sie die Sprache beherrschten) und in London wie New York ähnliche Triumphe feierte.

Filme von solch künstlerischem Rang entstanden bei der Ufa nur wenige; zwei Streifen des Regisseurs Robert Siodmak zählen wegen ihrer neuartigen und fesselnden Mischung aus Sprache, Musik und Geräusch unbedingt dazu: der «Milieufilm» *Abschied* (1930, mit Brigitte Horney und Aribert Mog) und der realistische Justiz-Kriminalfilm *Voruntersuchung* (1931, mit Albert Bassermann). Ein Blick auf die vielen anderen Produktionsfirmen offenbart die gleiche Tendenz: inmitten einer Masse von Unterhaltungsfilmen nur wenige engagierte Produktionen – etwa die Döblin-Verfilmung *Berlin-Alexanderplatz* (Allianz Tonfilm GmbH, 1931, Regie: Piel Jutzi, mit Heinrich George als Franz Biberkopf), der «Theaterfilm» *Dreyfus* (Oswald-Filmproduktion GmbH, 1930, Regie: Richard Oswald, mit Fritz Kortner als Hauptmann Dreyfus und Heinrich George als Emile Zola), das Erziehungsdrama *Mädchen in Uniform* (Deutsche Film-Gemeinschaft, 1931, Regie: Leontine Sagan, mit Dorothea Wieck und Hertha Thiele) oder die Dostojewski-Verfilmung *Der Mörder Dimitri Karamasoff* (Terra Film AG, 1931, Regie: Fedor Ozep, mit Fritz Kortner und Anna Sten).

Doch kehren wir ein letztes Mal zur Unterhaltung zurück. Viele Stummfilmstars hatten auf Grund stimmlicher Probleme den Sprung zum Tonfilm nicht geschafft (etwa Asta Nielsen oder Fern Andra) oder spielten fortan nicht mehr die dominierende Rolle (wie Henny Porten oder Harry Liedtke). Neue Namen traten an ihre Stelle. Lilian Harvey, Willy Fritsch und Marlene Dietrich hießen nun die Kassenmagneten des Kinos, und natürlich Hans Albers. Wie Marlene Dietrich, hatte auch er schon eine lange und bewegte

101 Film-Kurier. – Berlin (1930–04–02).

102 Das Tagebuch. – Berlin (1930–04–05).

Filmplakat zu *Der blaue Engel*, 1930

Marlene Dietrichs Erfolgsschlager aus *Der blaue Engel* wurde von der Ufa in ihrem «Tonverlag» in hohen Auflagen verbreitet.

Stummfilmzeit hinter sich, war seit 1920 in Dutzenden kleinen und mittleren Rollen zu sehen gewesen. Über seinen Filmstart im Jahre 1919 hat er selbst berichtet: «Als ich gerade Berliner Boden betreten hatte, kam auch die erste Berührung mit dem Film. Die große Schwierigkeit bildeten im Anfang meine hellen Augen. Das Filmmaterial war noch zu wenig lichtempfindlich, und so ergaben sich infolge der grellen, scharfen Lampen dort, wo meine Augen sein sollten, weiße Löcher. Wie häufig hieß es, wenn jemand mich für eine Rolle vorschlug: ‹Albers kommt nicht in Frage, der hat zu blasse Augen!› Das wurde mit einem Schlag anders, als panchromatisches Material benutzt wurde, mit dem es gelang, nunmehr die hellblauen Augen naturgetreu festzuhalten.» Und weiter über seine Filmprofession: «Wie beim Theater gehen auch hier die tiefen Wirkungen vom Natürlichen aus. Das Publikum muß in erster Linie die Ausstrahlung eines Menschen fühlen. Die Linse ist unbestechlich, sie überträgt mit erbarmungsloser Klarheit das Wesen eines Menschen, und so müssen eben Bewegung, Ausdruck, Ton verbürgt echt sein. Als ich in *Drei Tage Liebe* einen Möbelpacker spielte, einen Urberliner Typ, bekam ich Briefe von echten Möbelpackern, die mich fragten, ob ich aus der Zunft stamme, denn ich hätte das alles so lebensecht gespielt. Das war für mich das schönste Lob.»[103] Auch auf den Berliner Bühnen gehörte Hans Albers zum «festen Inventar». Ab Januar 1931 konnte er in der Volksbühne am Bülowplatz als Molnars *Liliom* zum ersten Mal wahre Triumphe feiern. Den eigentlichen Durchbruch brachte für ihn aber der Tonfilm –

Der Schnappschuß (1929) von der Mittagspause in der Neubabelsberger Kantine zeigt (von links) Siegfried Arno, Käthe von Nagy, Regisseur Manfred Noah, Kurt Gerron und Aufnahmeleiter Karl Schreiber.

103 Zit. nach: Weinschenk, H. E.: Schauspieler erzählen. – Berlin, 1941. – S. 20.

konnten doch nun nicht nur seine strahlenden Augen ausgeleuchtet, sondern auch das Timbre seiner Stimme per Mikrofon aufgezeichnet und ihm Schlager auf den Leib geschrieben werden. Nach dem Tonfilmstart 1929 in *Die Nacht gehört uns* und der Rolle des Mazeppa in *Der blaue Engel* wurde 1930 der Kriminalreißer *Der Greifer* (Froelich-Film GmbH) zum ersten richtigen «Albers-Film», in dem der blonde Hans als Detektiv Harry Cross alle nur denkbaren Gefahren besteht, eine ganze Verbrecherbande zur Strecke bringt und am Schluß sein geliebtes Mädchen (Charlotte Susa) bekommt. Nun ging es Schlag auf Schlag – Hans Albers drehte zwischen 1930 und 1932 insgesamt neun Filme, davon fünf bei der Ufa. In *Der Sieger* (1931, Regie: Hans Hirsch/ Paul Martin) sang er einen Werner-Richard-Heymann-Schlager, der fortan zu seinem Markenzeichen werden sollte: «Hoppla, jetzt komm ich...»

Die beiden besten Albers-Filme vor 1933 produzierte wiederum Erich Pommer. In *Bomben auf Monte Carlo* (1931, Regie: Hanns Schwarz) spielte Albers den Kapitän eines imaginären Kriegsschiffes, der das Spielcasino der Stadt bedroht. Heymann schrieb den Tango «Eine Nacht in Monte Carlo», noch populärer wurde jedoch «Das ist die Liebe der Matrosen». Es folgte eine Spitzenleistung des frühen deutschen Tonfilms: *F.P. 1 antwortet nicht* (1932, Regie: Karl Hartl). Zu einer Zeit, da noch ganz Europa im Bann der ersten wagemutigen Ozeanflieger stand, die nonstop den Atlantik überquert hatten, entwarf der Film nach einem Roman von Kurt Siodmak die Vision des regelmäßigen Linienfluges großer (und natürlich deutscher!) Passagier-

In dem weniger bekannten frühen Tonfilm *Rauschgift* (1932, Regie: Kurt Gerron) spielte Hans Albers einen Detektiv. Seine Partnerin war Trude von Molo.

maschinen: Für die notwendigen Zwischenlandungen wird im Atlantik eine Riesenplattform mit Namen F.P. 1 errichtet. Hans Albers spielte den Flieger Elissen – Abenteurer, Draufgänger, wagemutiger Held in einem –; mit Sybille Schmitz, Paul Hartmann und Peter Lorre hatte er großartige Partner. Noch beeindruckender fast war die technische Seite des Films. Architekt Erich Kettelhut hatte die Große Halle von Neubabelsberg in eine Flugzeugwerft verwandelt; eine ganze Insel, die Greifswalder Oie östlich vor Rügen, wurde zur Plattform F.P. 1 «umgebaut». Die Dornier- und Junkerswerke stellten Großflugschiffe und eine Flotte kleiner Maschinen zur Verfügung. Und Albers sang zu guter Letzt auch wieder ein Matrosenlied – «Dort hinten, wo der Leuchtturm steht». Englische und französische Versionen (mit Conrad Veidt bzw. Charles Boyer in der Albers-Rolle) machten *F.P. 1 antwortet nicht* nach *Der blaue Engel* zum weltweit zweiten Erfolgsfilm der Ufa vor 1933.

1931 schrieb Rudolf Arnheim über den Schauspieler Hans Albers: «Sein Gesicht ist von einem Siegesallee-Konditor im späthellenistischen Stil entworfen, aber es wird aufregend durch ein Paar Raubvogelaugen, die in solcher Weißglut brennen, daß man sich wundert, wie die Feuerpolizei das in Lichtspielhäusern zuläßt. Gewiß, dies Feuer stammt nicht von Prometheus, aber es wärmt doch bescheidene wie anspruchsvolle Seelen... Und während wir vom Gesicht des Hans Albers reden, sind die Blicke der Damen auf seinen Oberkörper gerichtet. Er nimmt sie alle an seine Brust, und siehe, es entsteht kein Platzmangel... Gewiß, er behandelt die Mädchen als minderjährige Kaninchen, putzt ihnen die Nase und stopft sie ohne Umstände ins Bett, aber man fühlt, daß er das leichte Leben schwer nimmt. Und er hat, als ein unbefangener, frecher Kerl, die Tonfilmsprache gefunden.»[104]

Apropos Tonfilmsprache: Einen interessanten Einblick in die Schwierigkeiten, mit dem neuen Medium umzugehen, lieferte die Ufa 1930 mit der Kriminalkomödie *Der Schuß im Tonfilmatelier* (Regie: Alfred Zeisler), die «Film im Film» vorführte und ein Tonatelier in Neubabelsberg zum Hauptort des Geschehens machte.

Unser Streifzug durch den frühen deutschen Tonfilm endet in dem großen Bereich nationalistischer, chauvinistischer und den Krieg direkt oder indirekt verherrlichender Streifen, die auf der Kinoleinwand einen nicht unbeträchtlichen Platz einnahmen und den «Marsch ins dritte Reich» nach Kräften unterstützten. Alfred Hugenbergs Ufa spielte hier die entscheidende Rolle.

Waren an der anfänglichen Flut von Militärklamotten um 1930 noch eine ganze Zahl von Produktionsfirmen beteiligt (z. B. Aco-Film GmbH *Der Schrecken der Garnison*, Deutsches Lichtspielsyndikat *Der Stolz der 3. Kompanie*, Hegewald Film GmbH *O, alte Burschenherrlichkeit*), so erfolgte die Etablierung eines «Nationalepos, das um den Rebellen kreist und von

104 Die Weltbühne. – Berlin (1931–09–08).

Der mit einem Junkers-Großflugzeug auf der Ostseeinsel Greifswalder Oie gedrehte Kriminalfilm *F.P. 1 antwortet nicht* (1932, Regie: Karl Hartl) war eine technische Meisterleistung. Das Szenenfoto zeigt Hans Albers mit seiner Partnerin Sybille Schmitz.

der Figur eines erlauchten Führers beherrscht wird»[105] (Kracauer) zielgerichtet von der Chefetage der Ufa aus. Ihre Programmerklärung vom Juli 1932 brachte auf den Punkt, was man in Neubabelsberg seit 1930 mit großer Energie betrieben hatte: «Wenn auch heute noch die Gegenwart außerordentlich trübe erscheint, lebt doch ein starkes Glaubensgefühl an eine Neubildung geistiger Anschauungen auf, dämmert die Hoffnung auf sichere Neugestaltung... Wir wollen im Film Menschen sehen, die positive und klare Ziele verfolgen, die aus charakterlicher Veranlagung den Kampf mit der Umwelt aufnehmen und die national oder in rein menschlicher Form um ein erstrebenswertes Ziel ringen.»[106]

Mit dem Tonfilm besaß die Ufa das Mittel, ihre nationalistischen Postulate nun auch sprechend von der Leinwand her zu verkünden. Dazu wurde zunächst der alte Preußen-Mythos reaktiviert, freilich mit deutlich verstärkten aktuellen Bezügen. Es begann mit dem Film *Die letzte Kompagnie* (1930, Regie: Kurt Bernhardt), einer Schlachtenepisode aus dem Preußenfeldzug gegen Kaiser Napoleon. Dann betrat wieder Otto Gebühr die Szene: *Das Flötenkonzert von Sanssouci* (1930, Regie: Gustav Ucicky), *Die Tänzerin von Sanssouci* (1931, Regie: Friedrich Zelnik) und *Der Choral von Leuthen* (1932/33, Regie: Carl Froelich/Arzen von Czérepy) bildeten eine neue Fridericus-Trilogie, nun mit einem König, der «alle früheren Friedriche in seiner Ähnlichkeit zu Hitler übertraf». In *Yorck* (1931, Regie: Gustav Ucicky)

105 Kracauer, Siegfried: Von Caligari zu Hitler. – Schriften Bd. 2. – Frankfurt a. M., 1979. – S. 286.

106 Zit. nach: Ebenda, S. 550.

Eines der neuen Tonateliers von Neubabelsberg bildete die Szenerie für den Kriminalstreifen *Der Schuß im Tonfilmatelier* (1931, Regie: Alfred Zeisler).

Als «Vaterlandsretter in historischer Uniform» – wie der Filmkritiker Siegfried Kracauer schrieb – traten Gustaf Gründgens und Werner Krauss in dem Ufa-Tonfilm *Yorck* (1931, Regie: Gustav Ucicky) auf.

zielte das historische Muster unverhüllt auf die «Legitimität einer Allianz zwischen der Reichswehr und den ‹rebellischen Kräften›, repräsentiert durch Hitler und Hugenberg»,[107] es ist die «preußische» Rechtfertigung der Harzburger Front, die von der Ufa geliefert wurde. In *Die elf Schillschen Offiziere* (1932, Regie: Rudolf Meinert) erschollen historische Reden gegen Frankreich, die ganz und gar nicht historisch anmuteten, ins Publikum.

Und natürlich widmete man sich den Ereignissen des ersten Weltkrieges. Korrektur der «Schmach von Versailles» stand bereits seit Anfang der zwanziger Jahre auf dem Programm der rechten Kräfte, dazu gehörte als tragende propagandistische Säule die Glorifizierung der Rolle, die die Deutschen im Krieg gespielt hatten, und die Verächtlichmachung der Sieger. Die Ufa hatte bereits in den letzten Stummfilmjahren zwei Filme über «unsere heldenhaften Kämpfer zur See» vorgelegt (*Unsere Emden*, 1926, und *U 9 Weddigen*, 1927), mit vier «nationalen Kriegstonfilmen» trat sie 1931/32 auf den Plan. *Douaumont* (1931, Regie: Heinz Paul) entstand unter Teilnahme von Verbänden der Reichswehr sowie von Veteranen jener Schlacht bei Douaumont, in der das kaiserliche Heer im Februar 1916 nochmals einen Sieg errungen hatte. *Tannenberg* (1932, Regie: Heinz Paul) feierte den Generalfeldmarschall Hindenburg und die Vernichtung der russischen zweiten Armee kurz nach Kriegsausbruch im August 1914. *Kreuzer Emden* (1932, Regie: Louis Ralph, ein Tonfilmremake des Stummfilms von 1926) huldigte offen den Piratenakten jenes deutschen Kriegsschiffes, das zu Beginn des Weltkrieges im Indischen Ozean Handelsdampfer und zivile Schiffe versenkt hatte, ehe es im November 1914 von den Briten aufgebracht wurde.

Schließlich begannen im Herbst 1932 in Neubabelsberg und auf der Ostsee nahe Helsingfors (da Deutschland der Besitz von U-Booten untersagt war, stellte die finnische Regierung ein solches zur Verfügung) die aufwendigen Dreharbeiten zu dem Film *Morgenrot* (Regie: Gustav Ucicky), einem nationalistischen und extrem antibritischen «Heldenepos auf die 6000 deutschen U-Boot-Leute, die aus 199 untergegangenen Booten nie zurückkehrten». Rudolf Forster spielte den Kapitänleutnant Liers, Kommandant des U-Bootes U 21, das von britischen Zerstörern versenkt wird. Die dramatische Geschichte der Tauchrettung eines Teils der Besatzung geriet zu einem «Werk der Erinnerung und Mahnung, zum Glauben und zur Wiedergeburt».[108] Am Ende erklingt das schicksalsträchtige Lied «Morgenrot, Morgenrot, leuchtet uns zum frühen Tod...» *Morgenrot* war denn auch das passende Präsent Hugenbergs für Adolf Hitler. Drei Tage nach dessen Machtübernahme fand am 2. Februar 1933 im Ufa-Palast am Zoo die festliche Premiere statt. Der «Führer und Reichskanzler» saß in der Ehrenloge, neben ihm Alfred Hugenberg, Aufsichtsratsvorsitzender der Ufa und neuernannter Reichswirtschaftsminister des Kabinetts Hitler. Ihre gemeinsame Strategie war aufgegangen. Nunmehr hatten sie die Macht in ihren Händen.

107 Kracauer, Siegfried: Von Caligari zu Hitler. – Schriften Bd. 2. – Frankfurt a. M., 1979. – S. 279 u. 281.

108 Kalbus, Oskar: Vom Werden deutscher Filmkunst. Zweiter Teil: Der Tonfilm. – Altona, 1935. – S. 34.

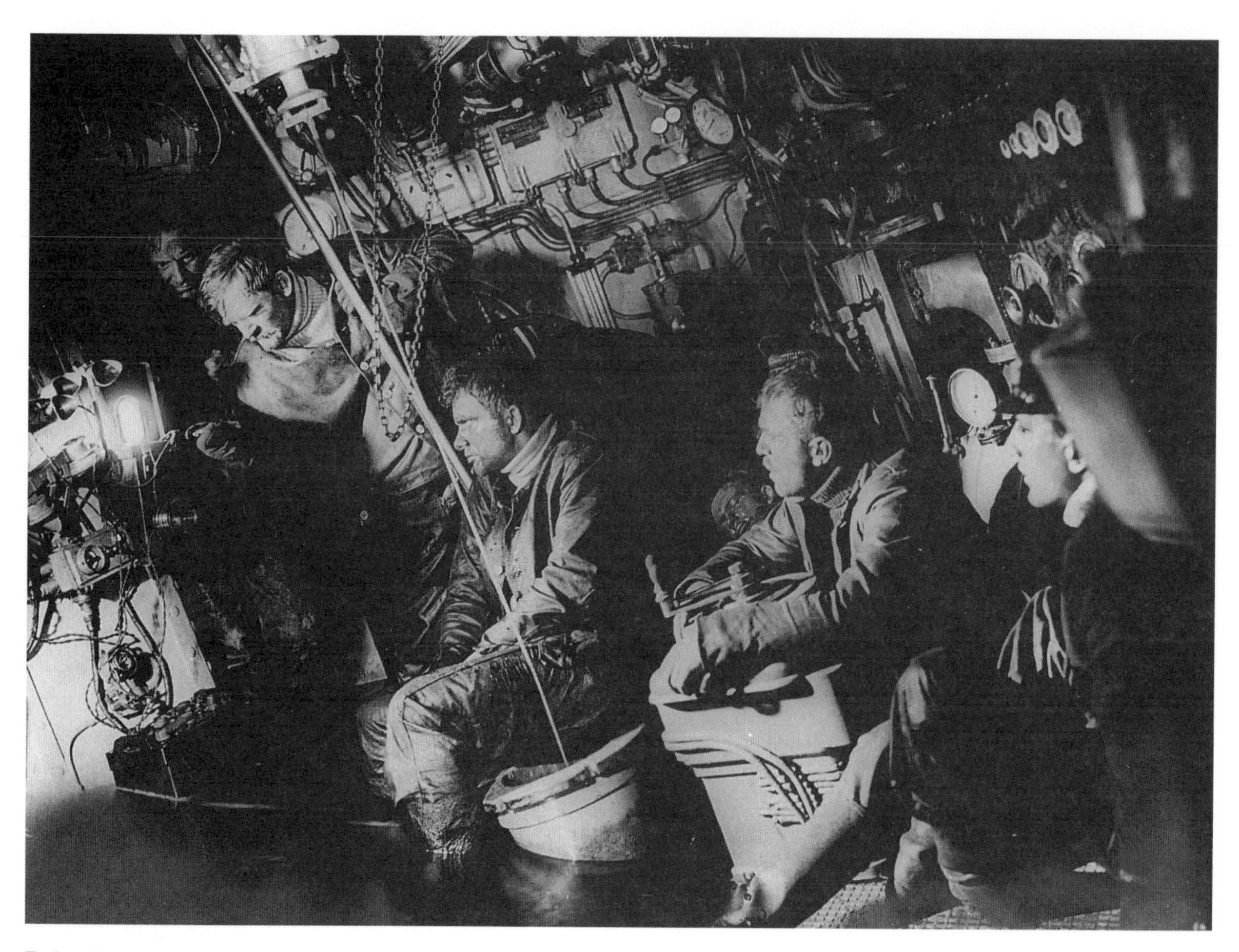

Ende 1932 entstand bei der Ufa als «Denkmal für die Helden des Weltkrieges» der U-Boot-Film *Morgenrot* (Regie: Gustav Ucicky), unter anderem mit (von links) Rudolf Forster, Fritz Genschow und Gerhard Bienert.

Jenseits der Traumfabrik

Nero-Film, Prometheus und Filmstudio 1929

Die Ufa mit ihrem Neubabelsberger Imperium haben wir bereits besichtigt. Wie aber sahen die Produktionsbedingungen für die zahlreichen kleineren Berliner Filmfirmen aus, die nicht über eigene Ateliers und Kapital in Millionenhöhe verfügten? Drei von ihnen werden im folgenden porträtiert, die Auswahl ist nicht zufällig: Hier entstanden einige der bemerkenswertesten Streifen der Jahre zwischen 1929 und 1933.

«In der Geschichte des deutschen Films wiegen die wenigen von der Nero produzierten Filme um das Vielfache schwerer als Dutzende von Streifen der Ufa und der mit ihr verbundenen Firmen», schreibt Jerzy Toeplitz, «sie war eine Zitadelle, in der ehrliche und ehrgeizige Künstler vor der hereinbrechenden Flut des Faschismus noch die Stellung hielten.»[109] Die Nero-Film GmbH (ab 1927: AG) entstand 1926 als Zusammenschluß der beiden Firmen Richard Oswald Produktions GmbH und Heinrich Nebenzahl & Co. GmbH. Sie arbeitete bis 1933, ihre Geschäftsräume befanden sich Unter den Linden 21, die meisten ihrer Filme entstanden in den jeweils für die Drehzeit angemieteten Ateliers von Staaken sowie im Efa-Atelier Cicerostraße. Nichts deutete in den ersten drei Jahren des Bestehens darauf hin, daß sich die Nero-Film bald von der gängigen Unterhaltungsproduktion abheben sollte – man setzte zunächst fort, was die beiden früheren Firmen betrieben hatten.

Als erster Film der Nero erlebte am 6. April 1926 Richard Oswalds «Aufklärungsdrama» *Dürfen wir schweigen?* seine Premiere im Alhambra in Schöneberg, der Regisseur trennte sich kurz darauf wieder von der Gesellschaft. Heinrich Nebenzahl führte seine schon 1924 begonnene Produktion von Sensationsfilmen des Regisseurs und Hauptdarstellers Harry Piel weiter. 1926/27 wurden bei der Nero drei davon gedreht, darunter *Was ist los im Zirkus Beely*, in dem Piel wieder einmal Gelegenheit hatte, im Raubtierkäfig,

109 Toeplitz, Jerzy: Geschichte des Films. – Bd. 2. – Berlin, 1976. – S. 208.

einem seiner beliebten Aktionsorte, aufzutreten. Insgesamt entstanden bis 1928 14 Unterhaltungsfilme, die Liste der Regisseure umfaßt unter anderem Geza von Bolvary (*Der Gefangene von Schanghai*, 1927), Hanns Schwarz (*Die Draufgängerin*, 1928) und den Italiener Augusto Genina mit drei Streifen.

Die Situation veränderte sich, als Mitte 1928 Seymour Nebenzahl in den Aufsichtsrat der Nero-Film AG eintrat. Der Sohn von Heinrich Nebenzahl wurde 1899 in den USA geboren und kam 1905 mit seinen Eltern nach Deutschland. Ab 1919 arbeitete er bei einer Bankfirma und verdiente während der Inflation als Devisenmakler ein Vermögen. Für die Filmarbeit des Vaters hatte er sich schon seit langem interessiert. Jetzt investierte er nicht nur große Teile seines Kapitals in die Nero-Film, sondern gab das Bankgeschäft völlig auf und wurde mit 28 Jahren Filmproduzent, bald darauf künstlerischer Leiter der Firma. Seymour Nebenzahl war nicht nur ein äußerst gebildeter Mann mit Spürsinn für die künstlerischen Möglichkeiten des Films, von zutiefst demokratischer Gesinnung, ihn zeichnete vor allem aus, daß er die Konzepte seiner Regisseure ohne jeden Eingriff akzeptierte und nach Kräften unterstützte. Das schloß natürlich immer wieder finanzielle Risiken ein, und auch Kompromisse.

Mit G. W. Pabst und Fritz Lang verpflichtete er 1929 bzw. 1931 die zwei bedeutendsten deutschen Regisseure jener Jahre als ständige Mitarbeiter der Nero, nachdem sich beide im Krach von der Ufa getrennt hatten. Pabsts erste Arbeit für den neuen «Stall» war noch ein Stummfilm, die vielbeachtete Wedekind-Verfilmung *Die Büchse der Pandora* (1929) mit Fritz Kortner und der aus Hollywood nach Berlin importierten Louise Brooks. Darauf folgten 1930/31 drei Tonfilme, die Toeplitz «ein unvergeßliches Triptychon; die bedeutendsten jener Zeit»[110] nennt: der Antikriegsfilm *Westfront 1918*, die Verfilmung der *Dreigroschenoper* und der zur Solidarität zwischen Deutschen und Franzosen mahnende Streifen *Kameradschaft*.

Inmitten von wachsendem Nationalismus, Chauvinismus und Kriegsverherrlichung bekannte sich Seymour Nebenzahl zum politischen Konzept Pabsts, der 1930 erklärte:

Die Anzeige der Nero-Film AG von 1931 trägt in der Mitte das Signet der Firma.

110 Toeplitz, Jerzy: Geschichte des Films. – Bd. 2. – Berlin, 1976. – S. 208.

«Ich will einen entschieden antimilitaristischen Film machen. Ich werde den Krieg zeigen, nicht nur wie ihn der Soldat gesehen, sondern wie ihn der Mensch, der denkende Mensch, der ‹homo sapiens› empfunden hat. Mein Film wird eine Anklageschrift gegen den Krieg sein!»[111] *Westfront 1918* wurde, da die Nero für diesen Stoff keine Berliner Atelierkapazität erhielt, im Münchner Geiselgasteig-Atelier gedreht. Die Geschichte junger deutscher Soldaten in den Schützengräben eines grausamen Stellungskriegs (nach dem Roman *Vier von der Infanterie* von Ernst Johannsen) geriet zu einem eindringlichen pazifistischen Appell. Nach der Premiere im Capitol schrieb Alfred Kerr am 24. Mai 1930: «Neben allem, was ich im Winter sah, ging ein Tonfilm dieser Tage mir am tiefsten, weil er das Gesicht des Krieges für Nichtteilnehmer am rüdesten entblößt. Der Eindruck übertäubt Wochen, Monate...»[112]

Nicht weniger politisch brisant angesichts zunehmender Hetze von rechts gegen den «Erbfeind» Frankreich war der Stoff von *Kameradschaft:* die Geschichte einer Bergwerkskatastrophe an der deutsch-französischen Grenze, bei der deutsche Kumpel ihren eingeschlossenen Kameraden auf der anderen Seite zu Hilfe eilen. Pabst: «Mein Film verfolgt mehr eine politische denn eine soziale Tendenz; er ruft zur Freundschaft zwischen dem französischen und dem deutschen Volk auf.»[113] *Kameradschaft* wurde zum aufwendigsten Film der Nero. Die Außenaufnahmen entstanden auf dem Gelände

Regisseur Richard Oswald (mit Brille) und sein Team drehen am Belle-Alliance-Platz in Berlin eine Szene des Films *Vorder- und Hinterhaus.* Das Foto entstand 1925 kurz vor Gründung der Nero-Film AG.

111 Zit. nach: Ebenda.

112 Zit. nach: Filmblätter. Kurzmonographien zu klassischen Filmen / hrsg. von Rudolf Freund. – Berlin, 1974. – S. 54.

113 Zit. nach: Toeplitz, Jerzy: Geschichte des Films. – Bd. 2. – Berlin, 1976. – S. 211.

deutscher und französischer Kohlengruben. Sämtliche Untertageszenen wurden in der ehemaligen Zeppelinhalle in Staaken gedreht, die die Nero für acht Wochen gemietet hatte. Unter Beratung von Bergwerksingenieuren baute der Architekt Ernö Metzner eine Landschaft riesiger Schächte und Gänge auf, deren Wände er mit einer meterdicken Kohleschicht verkleiden ließ. Einbrechende Wasserfluten und zusammenstürzende Gesteinsmassen wurden in dieser Dekoration ohne Tricks realisiert – eine bis heute beeindruckende technische Leistung.

Der Premierenerfolg am 17. November 1931 im Capitol war eindeutig, dennoch erwies sich *Kameradschaft*, wie schon *Westfront 1918*, für Nebenzahl als ein beträchtliches finanzielles Verlustgeschäft, da beide Filme nur von wenigen engagierten Lichtspieltheatern im Lande gezeigt wurden. Der Produzent versuchte dies mit parallel laufender Unterhaltungsproduktion zu kompensieren. Nebenzahl kam auf die Idee, den gefeierten Stummfilmstar Henny Porten nun auch im Tonfilm herauszustellen. Doch die drei 1930/31 in einem Ufa-Studio von Neubabelsberg bzw. in Marienfelde gedrehten Nero-Porten-Tonfilme *Skandal um Eva* (Regie: G. W. Pabst) – nach Kracauer «eine alberne Provinzkomödie»[114] –, *Kohlhiesels Töchter* (Regie: Hans Behrend – ein Remake des gleichnamigen Stummfilms von 1920) und *24 Stunden aus dem Leben einer Frau* (Regie: Alfred Lind) brachten nur mittlere Erfolge, Henny Porten vermochte sich auf der «tönenden Leinwand» nicht so durchzusetzen wie früher.

Wesentlich erfreulicher sah die finanzielle Bilanz des Films *Die 3-Groschen-Oper* aus, den die Nero im Auftrag der deutsch-amerikanischen Tobis-Warner-Produktion herstellte (auch in einer französischen Version) und der nach seiner Premiere am 19. Februar 1931 im Atrium rasch in ganz Deutschland und kurz darauf auch in Frankreich zum Publikumsrenner wurde. Dazu trug die seit dem Herbst 1928 unverändert anhaltende Erfolgsserie des Brecht/Weillschen Stückes ebenso bei wie die Auseinandersetzungen im Vorfeld der Verfilmung, über die schon viel geschrieben worden ist.[115] Seymour Nebenzahl hatte am 21. Mai 1930 die Verfilmungsrechte für *Die Dreigroschenoper* erworben und Brecht mit einem Drehbuch-Exposé beauftragt, das dieser alsbald lieferte, allerdings gegenüber dem Stück sozial wesentlich verschärft: *Die Beule – Ein Dreigroschenfilm.* Die Nero weigerte sich,

Seymour Nebenzahl, Produzent und künstlerischer Leiter der Nero-Film AG. Aufnahme von 1931

114 Kracauer, Siegfried: Von Caligari zu Hitler. – Schriften Bd. 2. – Frankfurt a. M., 1979. – S. 248.

115 Eine zusammenfassende Darstellung gibt: Gersch, Wolfgang: Film bei Brecht. – Berlin, 1975.

Westfront 1918 (1930, Regie: G. W. Pabst) war ein engagierter Antikriegsfilm der Nero. Das Szenenfoto dokumentiert eine der erschütternden Schützengrabenszenen mit Claus Clausen.

diese Fassung zu akzeptieren und beauftragte ihrerseits drei erfahrene Filmautoren mit der Herstellung eines Drehbuchs nach dem Stück. Am 19. September 1930 begannen, wiederum in Staaken, die Dreharbeiten, die bis zum 15. November dauerten. Der Architekt Andrej Andrejew errichtete eine bewußt künstliche, stilisierte, raffiniert ausgeleuchtete Londoner Szenerie, die wesentlich zur Atmosphäre des Films beitrug.

Die Aufnahmen wurden auch nicht unterbrochen, als zwischen dem 17. Oktober und 4. November vor dem Landgericht I in Berlin der «Dreigroschenprozeß» Brecht/Weill versus Nero lief, da die beiden Autoren wegen Schädigung ihrer künstlerischen Absichten geklagt hatten. Der Prozeß fand außerordentliche Aufmerksamkeit in der Öffentlichkeit und endete schließlich mit Vergleichen. Brechts Intentionen sind mit dem Pabst-Film zweifelsohne nicht realisiert worden. Dennoch ist er – auch im Abstand von mehr als fünfzig Jahren – so schlecht nicht, wie man nach bloßer Lektüre der Brechtschen «soziologischen Studie» über Prozeß und Film vermuten müßte. Rudolf Arnheim hat das schon anläßlich der Premiere konstatiert: «Über allen diesen nützlichen Reden ist G. W. Pabsts Film selbst schlecht weggekommen. Die charmante Süße von Kurt Weills Musik, die geschmeidig gleitende Kamera, die den Schauplatz der Handlung in lautlose Drehungen versetzt; das benebelnde Perspektivenspiel gespenstisch vergitterter Innenräume; die zierliche Anmut, mit der hier ‹verrohend und entsittlichend› gewirkt wird – man lasse sich das nicht entgehen!»[116]

Ein Jahr nach dem Nero-Film *Westfront 1918* entstand 1931 bei der Resco-Filmproduktion mit *Niemandsland* (Regie: Victor Trivas) ein weiterer bedeutender Antikriegsfilm. Titelblatt des Programmheftes

Das Plakat für den Nero-Tonfilm *Skandal um Eva* (1931, Regie: G. W. Pabst) kündigte den Stummfilmstar Henny Porten erstmals in einer Sprechrolle an.

116 Die Weltbühne. – Berlin (1931–04–21).

Eine «Kunstwelt vergitterter Innenräume» (Arnheim) entstand 1931 im Staakener Atelier für die Verfilmung von Brecht/Weills *Die Dreigroschenoper.* Das Arbeitsfoto zeigt Lotte Lenja während der Dreharbeiten in der Rolle der Jenny.

Programmheft zu dem Nero-Tobis-Film von 1931

Einen Tag nach der Premiere des Films *Die 3-Groschen-Oper* lud die Nero am 20. Februar 1931 bereits zur nächsten Gala-Uraufführung ein, diesmal ins Capitol. Zu sehen war der «erste Bergner-Tonfilm» *Ariane.* Den Berliner Bühnenstar Elisabeth Bergner nun sprechend auf der Leinwand zu präsentieren, diese Rechnung Nebenzahls sollte voll aufgehen. Die Schauspielerin, gefeierte Diva an Max Reinhardts Deutschem Theater, hatte seit 1924 in mehreren Stummfilmen des Regisseurs Paul Czinner gespielt, am bekanntesten davon wurde *Nju,* eine klassische Dreiecksgeschichte mit Emil Jannings und Conrad Veidt. Elisabeth Bergner verkörperte einen bevorzugten Frauentyp der zwanziger Jahre, die «femme enfant»: «Ein Kind, das jeder adoptieren will, in dem er aber auch nicht ohne besondere Zärtlichkeit das Weib meint. Und die Bergner ist eine Hexe, die man wie ihre Johanna vielleicht doch beizeiten verbrennen sollte; denn sie beunruhigt und beschäftigt eine ganze ernsthaft arbeitende Weltstadt, ein Spuk, ein Luftgeist, ein Puck, ein Ariel, der den Leuten und nicht nur den jungen und nicht nur den Männern die Köpfe und gar die Sinne verwirrt.»[117]

In *Ariane* (Regie: Paul Czinner – nach dem Roman von Claude Anet) spielte die Bergner eine junge russische Studentin, die sich darin gefällt, als erfahrene Frau zu posieren, womit sie einen wesentlich älteren Lebemann (Rudolf Forster) für einige Zeit zu fesseln weiß. Der Film wurde parallel zu Pabsts *Die 3-Groschen-Oper* in den Staakener Ateliers gedreht. Da Forster auch hier die Hauptrolle, den Mackie Messer, spielte, war ein ausgeklügelter Drehplan nötig, um beide Produktionen termingerecht zu Ende zu bringen.

117 Eloesser, Arthur: Elisabeth Bergner. – Berlin, 1927. – S. 80.

Czinner arbeitete dann wesentlich länger als vorgesehen am Schnitt seines Filmes, *Ariane* wurde buchstäblich in letzter Minute fertig: Das Publikum im Capitol hatte bereits Platz genommen, als die Filmrollen aus dem Kopierwerk eintrafen.

Der Erfolg war innerhalb weniger Wochen so groß, daß Seymour Nebenzahl sofort einen neuen Czinner/Bergner-Film haben wollte. Daraufhin schrieb Drehbuchautor Carl Mayer *Der träumende Mund.* Elisabeth Bergner spielte die Ehefrau eines Orchestermusikers (Anton Edthofer). Eines Tages gastiert ein berühmter Violin-Virtuose (Rudolf Forster) in der Stadt, sie lernt ihn nach dem Konzert kennen, und zwischen beiden entsteht eine leidenschaftliche Beziehung. Hin- und hergerissen zwischen ihrem Ehemann und dem Geliebten, weiß sie am Ende keinen anderen Ausweg, als Selbstmord zu begehen: klassisches, tragisch endendes Dreiecks-Melodrama. *Der träumende Mund*, uraufgeführt im Frühjahr 1932, übertraf noch den Erfolg von *Ariane.* Mit beiden Streifen setzte die Nero Maßstäbe für einen gehobenen Unterhaltungsfilm, wesentlich getragen vom meisterlichen Spiel der beiden Stars Elisabeth Bergner und Rudolf Forster.

Der bis heute berühmteste Nero-Film entstand im Frühjahr 1931. Daß Nebenzahl dafür den Regisseur Fritz Lang verpflichten konnte, hatte eine Vorgeschichte: Nach seinem letzten Stummfilm bei der Ufa (*Frau im Mond*, 1929), für die Lang immerhin seit mehr als sechs Jahren gearbeitet hatte, teilweise (wie bei *Metropolis*) auch mit erheblichen Etatüberschreitungen, setzte ihm Generaldirektor Klitzsch Ende 1929 den Stuhl vor die Tür. Im Protokoll der entscheidenden Direktionssitzung hieß es: «Mit Rücksicht auf die früheren Differenzen und die damit zusammenhängenden großen Verluste für die Ufa soll mit Fritz Lang keine geschäftliche Verbindung mehr aufgenommen werden, die die Produktion von Ufa-Filmen betrifft.»[118] In dieser Situation begegnete Nebenzahl dem Regisseur und bot ihm an, bei freier Stoffwahl seinen nächsten Film für die Nero zu drehen. Lang sagte zu. Angeregt durch Prozesse gegen zwei Massenmörder, die die deutsche Öffentlichkeit damals außerordentlich bewegt haben (besonders der Fall des Metzgers Haarmann), entstand die Idee zu

In Fritz Langs berühmtem Nero-Film *M* spielte Peter Lorre die Hauptrolle, einen pathologischen Kindermörder. Plakat für die französische Version *Le Maudit*

118 Zit. nach Töteberg, Michael: Fritz Lang. – Reinbek, 1985. – S. 66.

Regisseur Paul Czinner probt mit Elisabeth Bergner eine Szene für den Nero-Film *Der träumende Mund*, 1932.

einem Film, der zunächst *Mörder unter uns* heißen sollte: Grausige Verbrechen eines pathologischen Kindermörders rufen bei der Bevölkerung große Unruhe hervor, die Polizei setzt ihren gesamten Apparat zur Aufklärung ein, schließlich wird der Täter von der Unterwelt selbst gestellt und ausgeliefert, da sie sonst um ihre gesamte Existenz fürchten muß.

Als Lang sein Projekt im Januar 1931 bekanntgab, setzten nicht nur sofort offene Drohungen der Nazis ein, die in dem Titel *Mörder unter uns* eine Attacke gegen sich vermuteten, der Nero wurde auch die Anmietung eines Ateliers für diesen Film verweigert. So entschlossen sich Produzent und Regisseur zu dem neuen, unverfänglichen Titel *M*. Jetzt konnte man auch die Halle in Staaken mieten, wo im Februar und März 1931 die Dreharbeiten stattfanden. Zusätzliche Außenaufnahmen in den nächtlichen Straßen Berlins sowie die Verwendung von dokumentarischem Material steigerten die Spannung des Films bei der Schilderung der Großstadt. Lang verzichtete völlig auf Musik, der bis heute kaum wieder erreichte meisterliche Einsatz von Ton und Geräusch genügte ihm, um die Schicht von Grauen und Schrecken, die von den Bildern erzeugt wurde, auch akustisch zu verstärken. Zwei Schauspieler, die bisher vorwiegend am Theater gearbeitet hatten und nun von Lang ihre ersten großen Filmrollen erhielten, prägten (inmitten eines bis in die kleinsten Rollen erstrangigen Ensembles) den Film vor allem: Peter Lorre als der Kindermörder und Gustaf Gründgens als «Chef» der Unterwelt.

M erlebte seine Premiere am 11. Mai 1931 im Ufa-Palast am Zoo. Fritz Lang und die Nero hatten, fern der Schablonen des Kriminalfilms, ein Werk geschaffen, das «ans Licht brachte, wie die deutsche Gesellschaft den Maßstab für Moralwerte verloren hatte. *M* kündigte Jahre an, in denen die Moral eine Krise erlebte. Er war ihr Vorbote, vielleicht auch eine Warnung, wenngleich noch unbeabsichtigt.»[119]

Von Seymour Nebenzahl, der natürlich auf eine Wiederholung des Erfolges aus war, kam Anfang 1932 der Vorschlag, eine Tonfilmvariante des alten Lang-Stummfilms *Dr. Mabuse, der Spieler* von 1922 herzustellen. Der Regisseur war von dieser Idee sofort angetan. In einer Zeit, die immer deutlicher vom Vormarsch der Nazibewegung geprägt war, sah er hier die Möglichkeit, einen Film mit deutlicher politischer Aussage zu realisieren: *Das Testament des Dr. Mabuse* läßt den 1922 am Ende Wahnsinnigen zehn Jahre später wiedererscheinen, nunmehr als Chef einer Bande von Saboteuren und Terroristen. Täglich verlassen Mabuses Anweisungen und Befehle die Nervenklinik, um Morde, Brände, Katastrophen und Chaos zu verbreiten. Lang: «Dieser Film ist als Allegorie gedacht, um Hitlers Terrormaßnahmen zu zeigen. Schlagworte und Doktrinen des dritten Reiches sind den Verbrechern des Films in den Mund gelegt worden.» Erneut gelangen dem Regisseur eindrucksvolle Sequenzen, die seine Gabe, den Terror aus einfachsten Dingen

119 Toeplitz, Jerzy: Geschichte des Films. – Bd. 2. – Berlin, 1976. – S. 214.

Für eine der dramatischen Szenen des letzten Films der Nero *Das Testament des Dr. Mabuse* wurde im Herbst 1932 ein Teil des Staakener Ateliers in ein riesiges Wasserbassin verwandelt. Regisseur Fritz Lang (links) mit den beiden Darstellern Wera Liessem und Gustav Diessl

zu beschwören, nachdrücklich unter Beweis stellten. Kracauer nennt den Film «eine Art letztes Bollwerk gegen das bevorstehende Unheil»[120].

Gedreht wurde dieser letzte Nero-Streifen im Spätherbst 1932 in Staaken, die Endfertigung zog sich bis in den Februar 1933 hin, die Uraufführung war für den 24. März 1933 im Ufa-Palast am Zoo vorgesehen. Sie wurde von Goebbels persönlich verboten. Eine ungeschnittene Kopie konnte gerade noch nach Frankreich gebracht werden, wo *Das Testament des Dr. Mabuse* im Sommer 1933 erstmals gezeigt wurde. Die Nero-Film war zu dieser Zeit schon aufgelöst worden, Seymour Nebenzahl hatte wie viele seiner Mitarbeiter Deutschland verlassen.

Wesentlich schwieriger noch als bei den kleineren kommerziellen Filmfirmen gestalteten sich die Produktionsbedingungen für den proletarischen Film, der im Auftrag der beiden Arbeiterparteien SPD und KPD entstand. Außer permanenten Finanzsorgen und dem Kampf um Ateliertermine, Rohfilmmaterial und entsprechende Technik war hier noch ständige Auseinandersetzung mit der Filmzensur der Weimarer Republik angesagt, die nichts unversucht ließ, um die Arbeit zu behindern, entschärfende Schnitte durchzusetzen oder gar völlige Verbote auszusprechen.

Die SPD hatte schon 1921 einen Film- und Lichtbilddienst (Fiuli) für den Vertrieb ihrer dokumentarischen Kultur- und Bildungsstreifen sowie der Parteitagsberichte und Wahlfilme gegründet. Mit der Produktion von Spielfilmen befaßte sich die Partei nicht, von zwei Ausnahmen abgesehen (*Überfall*, ein Kurzfilm von Ernö Metzner, und *Brüder* von Werner Hochbaum, beide 1929). Anders sah die KPD diese Frage. Auf Initiative ihres rührigen «Medienchefs» Willi Münzenberg, der seit 1923 in der Partei die Arbeit mit dem Dokumentarfilm, vor allem aus der UdSSR, eingeführt hatte, wurde am 2. Februar 1926 in Berlin die Prometheus-Film-Verleih und Vertriebs GmbH gegründet. Sie hatte ihre Geschäftsräume in der Hedemannstraße 21 in Kreuzberg und arbeitete eng mit sowjetischen Kinofirmen zusammen. Die Prometheus bestand bis Anfang 1932; sie produzierte nicht nur einige exemplarische Werke des deutschen proletarischen Films vor 1933, sondern verhalf gleichzeitig den großen «Russenfilmen» der zwanziger Jahre, deren Vertrieb sie übernahm, zum Siegeszug auch in Deutschland.

Der Name der neugegründeten Firma wurde sofort in der Öffentlichkeit bekannt, als sie im März und April 1926 den Kampf mit der Filmprüfstelle Berlin (wie sich das Zensurorgan nannte) um die deutsche Erstaufführung von Sergej Eisensteins *Panzerkreuzer Potemkin* führte. Nach zähen Verhandlungen und insgesamt 14 erzwungenen Schnitten brachte die Prometheus den Film am 29. April in dem kleinen Kino Apollo in der Friedrichstraße heraus, keiner der Berliner Lichtspielpaläste hatte Interesse gezeigt. Das sollte sich rasch ändern. Schon vier Wochen später konnte der Geschäftsführer der Prometheus, Richard Pfeiffer, an Eisenstein in Moskau

120 Zit. nach: Kracauer, Siegfried: Von Caligari zu Hitler. – Schriften Bd. 2. – Frankfurt a. M., 1979. – S. 261.

Neben der Prometheus-Film war die Deutsch-Russische-Film-Allianz (Derussa) das zweite Unternehmen, das wichtige sowjetische Streifen nach Deutschland brachte, z. B. 1929 *Das Dorf der Sünde* (Regie: Olga Preobrashenskaja). Szenenfoto

berichten: «Empfangen Sie zunächst von uns recht herzliche Glückwünsche zu dem ungeheuren Erfolg, den der *Panzerkreuzer Potemkin* hier errungen hat. Kaum waren nach der Uraufführung die Pressestimmen heraus, so setzte ein wahrer Sturm von Theaterleitern bei uns ein. Jeder wollte *Potemkin* haben. Binnen weniger Tage lief der Film bereits in Berlin in 25 Theatern, und schon nach 14 Tagen hatten wir bereits 48 Kopien laufen. Damit konnten Hunderttausende in wenigen Tagen den Film sehen.»[121] Zur Premiere war der *Potemkin* noch stumm gelaufen, als sich jedoch die große Erfolgswelle abzuzeichnen begann, beauftragte die Prometheus Edmund Meisel mit der Komposition einer Begleitmusik, die bald in jenen Theatern, die über ein Orchester verfügten, zum Film erklang und dessen Wirkung weiter steigerte.

Als die Firma zwei Jahre danach Eisensteins nächsten großen Film *Zehn Tage, die die Welt erschütterten* (Originaltitel: *Oktober*) herausbrachte, war nicht mehr die Rede vom Start in einem kleinen Eckkino. In großer Aufmachung berichtete die Presse am 2. April 1928: «Heute findet im Tauentzienpalast die Uraufführung des neuen Großfilms der Prometheus im entsprechenden Rahmen statt. Das Orchester des Palastes ist auf 70 Mann vergrößert worden. Am Dirigentenpult steht Edmund Meisel, der auch die Begleit-

121 Zit. nach: Filmwissenschaftliche Beiträge. – Berlin (1967) 3. – S. 1106 f.

musik komponiert hat. Zu der heutigen Gala-Premiere haben ihr Erscheinen die Vertreter der Regierung, der Behörden, der Kunst-, Theater- und Literaturwelt sowie die gesamte deutsche und ausländische Presse zugesagt.»[122] Insgesamt hat die Prometheus zwischen 1926 und 1932 mehr als 20 Spielfilme von Eisenstein, Pudowkin, Dowshenko und anderen Regisseuren des sowjetischen Kinos nach Deutschland gebracht, von wo aus sie ihren Siegeszug durch ganz Westeuropa antraten.

Wesentlich komplizierter gestaltete sich die eigene Spielfilmproduktion. Der erste Prometheus-Film, die Tschechow-Verfilmung *Überflüssige Menschen,* wurde 1926 im Staakener Atelier von dem sowjetischen Regisseur Alexander Rasumny gedreht, später sollten noch zwei Koproduktionen mit Meshrabpom Moskau folgen. Trotz der Verpflichtung erstklassiger Schauspieler (Krauss, George, Klöpfer) war die Premiere am 2. November im Capitol, erneut mit einer Musik von Meisel, nur ein Achtungserfolg; Nachspielerlöse blieben fast völlig aus. Der danach unternommene, kommerziellen Firmen abgeschaute Versuch, den finanziellen Verlust mit einigen Unterhaltungsproduktionen wettzumachen (unter anderem mit *Eins plus eins gleich drei,* 1927), mißlang, da in diesem Genre die Kinobesitzer lieber auf Markenfilme eingeführter Firmen zurückgriffen. Wollte die Prometheus tatsächlich das breite Arbeiterpublikum erreichen, so mußte sie sich den brennenden Fragen der deutschen Gegenwart zuwenden. Dies spiegelte sich im Produktionsprogramm ab Ende 1928 wider.

Gemeinsam mit dem Volksfilmverband produzierte man im Winter 1928/29 den Film *Hunger in Waldenburg* (Regie: Piel Jutzi). In einer Mischung aus Dokumentar- und Spielfilm schilderte er die Not der Arbeiter im niederschlesischen Steinkohlenrevier. Erneut mußten heftige Kämpfe mit der Zensur ausgefochten werden, einige Sequenzen fielen der Schere zum Opfer, ehe Jutzis Film im April 1929 in die Kinos kam. Sechs Monate später begann der Regisseur im Jofa-Atelier mit den Aufnahmen zu *Mutter Krausens Fahrt ins Glück.* Dieser Film war dem Andenken Heinrich Zilles gewidmet und erzählte das Schicksal einer alten Berliner Zeitungsfrau, der Mutter Krause. «Die Jofa-Ateliers in Johannisthal sehen ein ungewohntes Milieu in ihren Mauern: es heißt bei den noblen Gesellschaftsfilmkitschern, die die anderen Räume besetzen: ‹Drüben drehen die Bolschewisten!›»[123] Viele Außenaufnahmen entstanden in Berlins Arbeiterbezirk, dem «roten» Wedding. «Sonntagmittag in der Neuen Hochstraße am Wedding. Tausende von Arbeitern mit roten Fahnen und Transparenten marschieren auf – die Straße hin und zurück. Auf einem Wagen steht ein Kinoapparat. Erst allmählich entdeckt man, daß es sich um Schauspieler handelt, daß eine Filmaufnahme gemacht werden soll. Die Demonstranten sind Arbeiter vom Wedding, die mit großer Begeisterung bei der Sache sind, die Schupo einigermaßen zurückhaltend.»[124]

122 Film-Kurier. – Berlin (1928–04–02).

123 Berlin am Morgen. – Berlin (1929–11–09).

124 Berlin am Morgen. – Berlin (1929–10–15).

Hochzeitsszene aus dem Prometheus-Film *Mutter Krausens Fahrt ins Glück*

In eindrucksvollen Bildern von Piel Jutzi, der auch an der Kamera stand, wurde die Not der Berliner Arbeiter aus ihren sozialen Verhältnissen heraus sichtbar gemacht. Die einzig mögliche «Fahrt ins Glück» für die alte Krausen ist am Ende das Öffnen des Gashahns. Ihre Tochter Erna schließt sich den Demonstranten an. Mit *Mutter Krausens Fahrt ins Glück* war der erste künstlerisch überzeugende deutsche proletarische Spielfilm gelungen. Seine Uraufführung im Schöneberger Alhambra fand am 23. Dezember 1929 statt, Paul Dessau dirigierte persönlich die von ihm komponierte Begleitmusik.

Zunehmend aus politischen Gründen von Hugenbergs Ufa boykottiert,

Filmplakat von Käthe Kollwitz, 1929

die über entscheidenden Einfluß in allen Berliner Produktionsbereichen des Films verfügte, geriet die Prometheus 1930 in finanzielle Schwierigkeiten.

Neue Projekte wurden nicht mehr in Angriff genommen, nur der Vertrieb der sowjetischen Filme lief weiter. Als im Sommer 1931 Bertolt Brecht und der Regisseur Slatan Dudow mit dem Projekt eines proletarischen Tonfilms in der Hedemannstraße auftauchten, brachte die Partei dennoch das Geld für den Start der Dreharbeiten auf. Ein letztes Mal hieß es: Produktion Prometheus, im Terra-Atelier Marienfelde begannen im August 1931 die Dreharbeiten zu *Kuhle Wampe.* «Brecht führt Dialogregie», meldete der Film-Kurier und berichtete: «Von früh bis spät steht der Dichter selbst im ‹Bau›, um den Dialog zu überwachen und ihn in unzähligen Arrangier- und Abhörproben bis ins kleinste auszufeilen.»[125]

Ebenfalls noch im Sommer 1931 entstanden die Außenaufnahmen des Films unter Teilnahme von mehr als 6000 Berliner Arbeitersportlern und Musikzügen. «Strahlende Sonne über dem kleinen Müggel. Am Ufer tummelt sich – sehr zahlreich – Arbeiterjugend. Sportler mit Booten. Fichteaner. Über ihnen schweben auf hohen Holzgestellen Apparate, jenes wundersame Handwerkszeug der Kameraleute, deren Wesen es verlangt, die Wirklichkeit einzufangen, die aber in unserem üblichen Filmbetrieb es vorzuziehen pflegen, in schalldicht abgeschlossenen Räumen die Seelenwehwehs mondäner Nichtstuer gewissenhaft zu registrieren. Aber diesmal geht es um andere Dinge, um andere Probleme, andere Menschen: das Werden eines Arbeiterfilms. Die Prometheus stellt ihn her.»[126]

Das Programmheft wirbt für den ersten proletarischen Tonfilm in Deutschland, dessen Produktion die Prometheus im Sommer 1931 begann und der 1932 von der Praesens-Film fertiggestellt wurde.

Die Anzeige der Praesens eine Woche nach der Premiere belegt: *Kuhle Wampe* läuft in 15 Berliner Lichtspieltheatern.

125 Film-Kurier. – Berlin (1931–09–30).

126 Welt am Abend. – Berlin (1931–08–24).

Anfang Oktober 1931 mußten die Dreharbeiten unterbrochen werden, da die Prometheus Konkurs angemeldet hatte. Am 20. Januar 1932 erfolgte die offizielle Auflösung der Firma, bereits vorher hatte man erreicht, daß *Kuhle Wampe* von der Praesens-Film GmbH fertiggestellt wurde. Danach begann im Frühjahr 1932 erneut der Marsch gegen die Zensur, der diesmal von März bis Mitte Mai dauern sollte. Erst am 30. Mai konnte die Uraufführung im Atrium stattfinden. Bis zum Ende des Jahres hatten mehrere hunderttausend vorwiegend proletarische Zuschauer den Film gesehen, das Brecht/Eislersche *Solidaritätslied* aus *Kuhle Wampe* wurde zum Kampflied in den letzten Monaten der Weimarer Republik – ohne Erfolg, wie wir heute wissen. Der Film markiert einen Höhepunkt der Arbeiterkulturbewegung vor 1933, doch – so Kracauer – «Optimismus garantiert noch keine Freifahrt in die Zukunft.»[127]

Unter den kurzlebigen Produktionsfirmen, die oftmals nur ein einziges Projekt realisierten, war das Filmstudio 1929 mit Sicherheit die interessanteste – und das nicht nur, weil einige der Beteiligten später große Hollywoodkarrieren machen sollten. Ausgangspunkt des Unternehmens war einer jener Anreger und Mäzene, denen die kulturelle Landschaft Berlins in den zwanziger Jahren so manche Glanzlichter verdankte: Moritz Seeler. Seit 1922 hatte er vor allem junge, noch unbekannte Dramatiker gefördert: Bronnen, Brecht, Zuckmayer und Marieluise Fleißer, die später schrieb: «Da gab es einen Mann in Berlin, der konnte zaubern. Der hatte einen Apparat aufgezogen mit nichts, ich meine mit wenig Geld. Junge Bühne nannte er ihn, und das konnte der Mann nur, weil er die Schauspieler und weil er die reichen Leute kannte. Bei denen lief er herum, jene spielten für ihn, und diese gaben ihm Geld. Mit dem Geld kaufte er für einen Sonntagvormittag ein richtiges großes Theater, die Zuschauer strömten hinein, und die Presse bekam ihren Platz und brachte die Schauspieler in der Leute Mund und den Autor auch, sie schrieb über einen, in Berlin war das Gold wert.»[128] Die Junge Bühne bestand bis Ende 1927.

Zwei Jahre später, als er Anfang 1929 im Romanischen Café dem dreiundzwanzigjährigen Journalisten Billy Wilder begegnete und dieser erzählte, er habe etliche Drehbücher geschrieben, hatte Moritz Seeler die Idee, nunmehr mit jungen, unbekannten Enthusiasten einen Film zu produzieren. Über Wilder kam der achtundzwanzigjährige Regieassistent Robert Siodmak – ein Neffe des Nero-Mitbegründers Heinrich Nebenzahl – ins Team; Seeler seinerseits war mit dem bekannten Berliner Bühnenbildner Rochus Gliese befreundet und meinte, dieser als einziger «gestandener Mann» könnte die Regie übernehmen. Gliese brachte seinen fünfundzwanzigjährigen Assistenten Edgar G. Ulmer mit, die beiden hatten gerade eine aufsehenerregende Simultanbühne zur Uraufführung von Bruckners *Die Verbrecher* am Deutschen Theater entworfen. Schließlich wurde über Siodmaks Onkel der be-

127 Kracauer, Siegfried: Von Caligari zu Hitler. – Schriften Bd. 2. – Frankfurt a. M., 1979. – S. 260.

128 Fleißer, Marieluise: Ausgewählte Werke. – Berlin, 1979. – S. 802.

Ein Wochenende am Berliner Wannsee beschreibt der Film *Menschen am Sonntag* (1930, Regie: Robert Siodmak/Edgar Ulmer). Alle Rollen waren mit Laiendarstellern besetzt.

kannte Kameramann Eugen Schüfftan (von ihm stammten die raffinierten Trickerfindungen zu *Metropolis*) zur Mitarbeit gewonnen, der einundzwanzigjährige Fred Zinnemann übernahm die Kameraassistenz. Wilders Idee wurde in kollektiver Arbeit konkretisiert: Der Film sollte *Menschen am Sonntag* heißen und ohne Schauspieler realisiert werden, mit Laien in den Hauptrollen. In deutlicher Gegenposition zur Verlogenheit des kommerziellen Filmbetriebs schilderte er ein ganz normales Wochenende einfacher Berliner Angestellter – Taxifahrer, Schallplattenverkäuferin, Getränkevertreter und Mannequin.

Wie so oft bei Seelers Projekten war bisher über Geld noch nicht gesprochen worden. Dennoch gründete er im Frühjahr das Filmstudio 1929, eingetragener Sitz Friedrichstraße 26. «Die Firma war obskur, Firma konnte man es eigentlich gar nicht nennen», erinnert sich Rochus Gliese an den Beginn der Dreharbeiten am Wannsee. «Wenn wir mal zehn oder zwanzig Mark hatten, die Siodmak mitbrachte, hatten wir viel für einen Tag. Unsere Aufnahmegeräte mußten wir mit einem Handwagen vom Bahnhof Nikolassee zum Strandbad Wannsee befördern. Es war so, daß es einfach nicht ging – und da bin ich dann ausgeschieden.» Siodmak übernahm die Regie, die jungen Leute drehten allen Schwierigkeiten zum Trotz weiter, mit viel Improvisation. Ulmer: «Wilder hatte kein richtiges Drehbuch geschrieben. Wir hatten einen roten Faden und genau definierte Figuren und sagten nur: ‹Nächsten Sonntag machen wir das und das ...»[129] Fast zum Schluß der Arbeit gelang es Schüfftan noch, dank seiner Beziehungen für ganze zwei Tage einen Ateliertermin zu organisieren, damit die notwendigsten Interieurs gedreht werden konnten.

Menschen am Sonntag wurde nach seiner Premiere am 1. Februar 1930 im U.T. Kurfürstendamm zu einem unerwarteten Erfolg. Die Berliner strömten ins Kino, um die Geschichte «ihres» Sonntags zu sehen, «ein Werk eines sozialen Realismus, ein Werk der Jugend, dem ein besonderer Platz in der Geschichte des realistischen deutschen Films zukommt.»[130] Rudolf Arnheim bemängelte zwar in der «Weltbühne» das noch unentschlossene Schwanken zwischen Dokumentarszenen und Spielhandlung, die «Reportage – Ideale» der Außenseiter und ihre «fehlenden raffiniertesten Kamerakünste» – als entscheidend für die Leistung der jungen Filmemacher aber hob er die Hinwendung zur Realität des Alltags hervor: «Alle ungarischen Rhapsodien des Geheimrats Hugenberg gäben wir leichten Herzens hin, wenn wir dafür jede Woche einen solchen Experimentalfilm sehen dürften.»[131]

Doch zur Fortsetzung der Arbeit des Filmstudios 1929 kam es nicht. Die «jungen Leute» verließen 1933 Deutschland. Edgar G. Ulmer, Robert Siodmak, Billy Wilder und Fred Zinnemann avancierten in den vierziger Jahren zu Starregisseuren Hollywoods.

129 Zit. nach: Brennicke, Ilona; Hembus, Joe: Klassiker des deutschen Stummfilms. – München, 1983. – S. 168.

130 Borde, Reymond; Courtade, Francis: Le cinéma réaliste allemand. – Paris, 1965; Zit. nach: Ebenda, S. 167.

131 Die Weltbühne. – Berlin (1930–02–11).

Epilog

1933 oder der Zugriff des Dr. Goebbels

1926 zum Gauleiter der NSDAP in Berlin ernannt – 1927 gründete er dort das Kampfblatt «Der Angriff» – und 1929 als Reichspropagandachef der Nazipartei eingesetzt, hatte Joseph Goebbels frühzeitig die Massenwirksamkeit des Mediums Film als Propagandamittel erkannt. Im Sommer 1927 bereits ließ er den ersten Filmbericht von einem NSDAP-Parteitag in Nürnberg herstellen. Der «Angriff» jubelte: «Stolz können wir sein auf diesen Film – unseren Film. Wenn er, begleitet von den Klängen einer schneidigen SA-Kapelle, nun aufgeführt werden wird, überall da, wo Nationalsozialisten sich in Treue um ihre Fahnen scharen, wird die Begeisterung groß und des Jubels kein Ende sein.»[132] 1930 folgte in Berlin die Gründung der Reichsfilmstelle der NSDAP mit einer eigenen Zeitschrift «Der deutsche Film».

Seine erste «Film-Schlacht» im *Kampf um Berlin* (so der Titel eines zweiteiligen Goebbels-Buches, 1927 bzw. 1932) fand statt, als die amerikanische Verfilmung von Remarques Antikriegsroman *Im Westen nichts Neues* (Regie: Lewis Milestone) am 6. Dezember 1930 im Mozartsaal am Nollendorfplatz ihre Erstaufführung erlebte. In Anwesenheit von Gauleiter Goebbels wurde die 19-Uhr-Vorstellung zum Austragungsort organisierter Nazikrawalle und mußte abgebrochen werden. Zur zweiten Abendvorstellung hatten SA-Trupps den Platz vor dem Kino besetzt. Im Saal begann erneut der Radau. In den darauffolgenden Tagen glich der Nollendorfplatz einem Heerlager. Der Polizeipräsident von Berlin ließ den Mozartsaal von einer Hundertschaft Polizei sichern, die den Strom der Besucher vor den Tätlichkeiten der SA schützen sollte. Goebbels ließ vor dem Kino Kundgebungen gegen den «Hetzfilm» veranstalten, Hugenberg beantragte das Verbot des Films, das die Oberprüfstelle Berlin am 11. Dezember verfügte. Carl von Ossietzky schrieb: «Der Faschismus hat seinen ersten großen Sieg errungen. Heute hat er einen Film erledigt, morgen wird's etwas andres sein.»[133] Auf

132 Der Angriff. – Berlin (1927–09–19).

133 Die Weltbühne. – Berlin (1930–12–16).

Grund massiver Proteste demokratischer Kräfte mußte das Verbot Anfang 1931 noch einmal aufgehoben werden. Zwei Jahre später, am 30. Januar 1933, triumphierten Goebbels und seine Partei endgültig.

Ein besonders eifriger Parteigänger der Nazis war Dr. Ernst Seeger, Leiter der Film-Oberprüfstelle Berlin. Unmittelbar nach Errichtung der Hitlerdiktatur leitete er Anfang Februar 1933 eine umfangreiche Verbotsaktion gegen nahezu alle progressiven Tonfilme ein, die seit 1930 in Deutschland gelaufen waren – von Sternbergs *Der blaue Engel* über Pabsts *Kameradschaft* bis zu Langs *Das Testament des Dr. Mabuse* umfaßte die Liste mehr als 20 Streifen. Natürlich war auch der alte «Feind» *Im Westen nichts Neues* darunter.

Als Goebbels am 13. März mit der Gründung des Reichsministeriums für Volksaufklärung und Propaganda (in der Weimarer Republik oblagen Fragen der Kultur ausschließlich den Kultusministerien der Länder, so daß erst eine «Zentrale» geschaffen werden mußte) nunmehr offiziell die Macht in seine Hände nahm, ernannte er Dr. Seeger zum ersten Leiter der Abteilung Film in seinem Hause. Im Januar 1934 wurde das Amt eines «Reichsfilmdramaturgen» installiert, erster Inhaber war ein alter «Angriff»-Redakteur, Willi Krause. Von Anfang an aber behielt sich Goebbels in diesem bevorzugten Bereich alle wichtigen Entscheidungen selbst vor, und dies radikal, wie die

Goebbels' erste «Filmschlacht» fand bereits 1930 statt. Ein großes Polizeiaufgebot mußte vor dem Mozartsaal am Nollendorfplatz eingesetzt werden, um die Besucher der amerikanischen Remarque-Verfilmung *Im Westen nichts Neues* vor den Übergriffen der aufmarschierten SA-Trupps zu schützen.

Presse mitteilte: «Dr. Goebbels ist, so wird versichert, entschlossen, sich auf keine Halbheiten einzulassen.»[134] «Gleichschaltung» und «Säuberung» waren angesagt, auf dem Gebiet von Presse und Rundfunk ebenso wie beim Film. Zwei Wochen nach seiner Inthronisierung versammelte der neue Minister die Spitzenvertreter der deutschen Filmindustrie im Berliner Hotel Kaiserhof, um sie auf sein Programm einer nationalsozialistischen Erneuerung des deutschen Films zu verpflichten. Ufa-Generaldirektor Klitzsch und sein Vorstand begrüßten den «hohen Gast»: «Sie werden bei uns allen eine freudige Bereitwilligkeit vorfinden, an den großen staatspolitischen Aufgaben mitzuarbeiten, welche die nationale Bewegung stellt!»[135] Vier Wochen später, Ende April 1933, fuhr Goebbels persönlich nach Neubabelsberg und sprach vor der Belegschaft.

Obwohl die Ufa ein Privatkonzern war (sie wurde erst 1936 verstaatlicht), schloß sich die Leitung unmittelbar nach diesem Ministerbesuch weitgehend den Bestimmungen des «Berufsbeamtengesetzes» vom 7. April an, das ein generelles Beschäftigungsverbot für jüdische Bürger im Staatsdienst dekretierte. Goebbels präzisierte das Gesetz in einer Anordnung vom 28. Juni für den Filmbereich: «Jeder, der in Zukunft am Kulturgut Film mitarbeiten will, muß deutscher Staatsbürger und deutschstämmig sein.»[136] Am 22. September erfolgte mit dem «Reichskulturkammergesetz» die Errichtung einer Reichsfilmkammer, der die Filmschaffenden anzugehören hatten. Damit war die «Gleichschaltung» vollzogen. Das im Februar 1934 folgende «Reichslichtspielgesetz» regelte danach noch die Fragen des Verleihs und der Filmtheater.

Die Verleihung des neugeschaffenen Wanderpreises für den besten Film des Jahres fand 1934 im Gebäude des Propagandaministeriums statt. Die Ufa erhielt ihn für den 1933 gedrehten Streifen *Flüchtlinge:* (von links) Ufa-Produktionsleiter Correll, Ufa-Generaldirektor Klitzsch, Regisseur Gustav von Ucicky, der Schauspieler Eugen Klöpfer und Minister Goebbels.

134 Lichtbild-Bühne. – Berlin (1933–03–09).

135 Film-Kurier. – Berlin (1933–03–29).

136 Film-Kurier. – Berlin (1933–06–28).

«Der deutsche Film, zu 90 Prozent verjudet, muß gesäubert und judenrein gemacht werden!»[137] – einher mit diesem Programm ging zugleich die «Abrechnung» mit der «jüdisch-bolschewistischen Verfallskultur der Systemzeit», wie die progressiven Kunstleistungen der Weimarer Republik nun demagogisch verunglimpft wurden. «Klettermaxekultur» und «Asphaltkunst» waren zwei Termini im Nazifundus, die sich direkt von Filmen ableiteten. Der 1925 gedrehte Stummfilm *Klettermaxe* hatte die Geschichte eines legendären Einbrechers geschildert, der von der Polizei erschossen und dessen Beisetzung mit großem Ehrengeleit zum öffentlichen Ereignis für Berlin wurde. Schon 1927 hatte eine Nazi-«Streitschrift» daraufhin von der «Klettermaxekultur» gesprochen und formuliert: «Die Jupiterlampe, das Objektiv hat den neuen Kulturbegriff für die Welt zwischen Kurfürstendamm und Scheunenviertel, diesen Generalnenner, auf den Snob, Lebemann, Apache, Mannequin, Negertänzer, Schupo und Kiebitz gebracht werden können, in geradezu bestechender Form eingefangen.»[138] Der Straßenfilm der zwanziger Jahre, insbesondere Joe Mays *Asphalt*, mußte zur Verunglimpfung früherer Großstadtkultur als «jüdische Asphaltkunst» herhalten. Dazu heißt es 1937 in einer «Abrechnungsschrift» zum Film der Weimarer Republik: «Ein bedeutsames Gebiet kultureller Betätigung war in den Besitz einer volksfremden Sippschaft gekommen. In dieser Zeit erkannten ein Moische Orenstein (Richard Oswald), ein früherer Konfektionsjüngling wie Ernst Lubitsch, ein Ernst Deutsch, Josef Mandel (Joe May) und Moritz Myrtenzweig (Max Mack) – um nur einige von ihnen zu nennen – ihre ‹künstlerischen› Fähigkeiten und ihre filmische ‹Berufung›.»[139] Sparen wir uns weitere Bei-

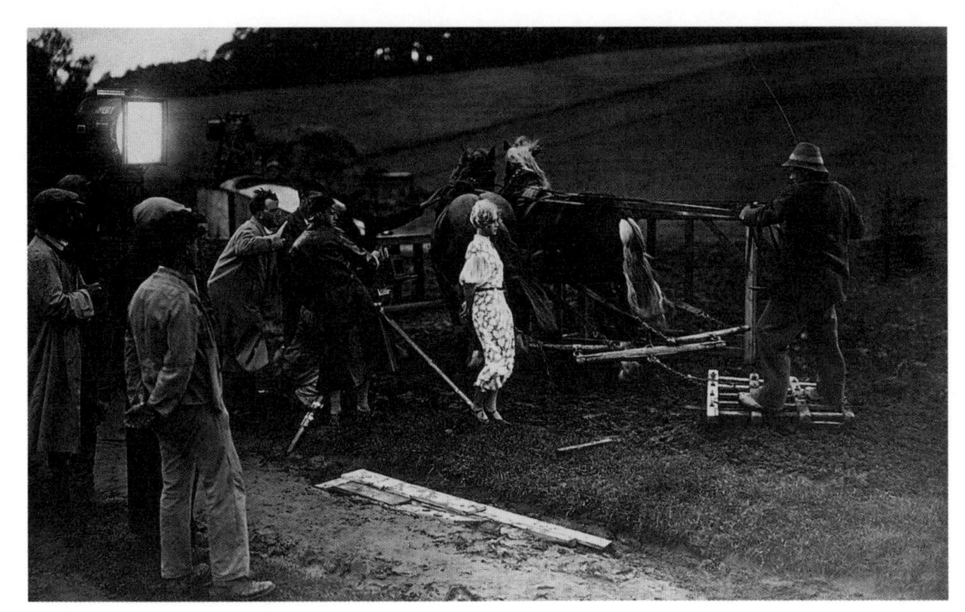

Richard Schneider-Edenkoben drehte 1933 den Ufa-Film *Blut und Scholle*, der bereits im Titel die NS-Ideologie propagierte. Foto von den Außenaufnahmen

137 Völkischer Beobachter. – B. Ausg. – Berlin (1933–04–20).

138 Buchner, Hans: Im Banne des Films. – München, 1927. – S. 135.

139 Neumann, Carl; Belling, Curt; Belz, Hans-Walther: Film-«Kunst», Film-Kohn, Film-Korruption. – Berlin, 1937. – S. 40.

spiele von Lingua tertii imperii (LTI), wie Viktor Klemperer diese niedrige Ausdrucksweise genannt hat.

Viele prominente Filmschaffende, nicht nur jüdischer Abstammung, verließen im Frühjahr 1933 Berlin. Die Liste der Regisseure reicht von Kurt Bernhardt und Paul Czinner bis zu Richard Oswald, G. W. Pabst (er kehrte allerdings 1939 nach Deutschland zurück) und Wilhelm Thiele. Große Schauspieler von Albert Bassermann, Elisabeth Bergner und Felix Bressart bis zu Fritz Kortner, Peter Lorre, Conrad Veidt und Adolf Wohlbrück folgten ihnen. Zumeist über die Stationen Paris und London, wo sich in den Studios erste Arbeitsmöglichkeiten boten, gelangte die Mehrzahl Ende der dreißiger Jahre in die USA. Hier in Hollywood warteten sehr unterschiedliche Erfahrungen auf sie – vom nahezu totalen Mißerfolg (Kortner) bis zur großen Karriere (Lorre, Veidt).

Während Goebbels den Weggang all dieser Künstler als «Selbstreinigung» der Branche feierte, mußte er in zwei Fällen erleben, wie sein Angebot, eine Spitzenstellung im «neuen deutschen Film» einzunehmen, auf entschiedene Ablehnung traf. Fritz Lang und Marlene Dietrich erteilten dem Propagandaminister eine Abfuhr. Der Regisseur gehörte, trotz des soeben ergangenen Verbots für *Das Testament des Dr. Mabuse*, zu jenen Filmschaffenden, die Goebbels am 28. März 1933 in das Hotel Kaiserhof geladen hatte. Lang:

Für den Horst-Wessel-Film *Hans Westmar* (Regie: Franz Wenzler) wurde der Fackelzug des 30. Januar 1933 am Brandenburger Tor im September noch einmal inszeniert. Die Original-Bildunterschrift lautet: «Das Publikum, das sich sehr zahlreich eingefunden hatte, stellte sich bereitwillig als Komparserie in den Dienst der nationalen Sache.»

Das Szenenfoto aus dem NS-Propagandafilm von 1933 *Hitlerjunge Quex* (Regie: Hans Steinhoff) zeigt Claus Clausen als Bannführer. «Unbedingte Gefolgschaft und eiserne Kameradschaft» waren die Devise.

«Ein paar Tage später bekam ich eine Aufforderung, Einladung wäre zu wenig, Befehl wohl zu viel gesagt. Ich sollte mich bei Herrn Goebbels zu einer Besprechung einfinden... Ich warf mich in Cutaway und steifen Kragen und tippelte zum Propagandaministerium ... Goebbels kommt mir entgegen, er ist unerhört liebenswürdig und sagt: ‹Bitte, Herr Lang, setzen Sie sich doch nieder!› Er erzählte mir, was Hitler und Goebbels mit mir vorhatten. Und das war folgendes: Er bot mir gewissermaßen und de facto die Führerschaft des deutschen Films an... Mir war schon vorher nicht sehr angenehm zumute, aber jetzt fingen die ersten Angstschweißtropfen so langsam an, das Rückgrat hinunterzurollen, und ich sagte: ‹Ich bin sehr geehrt, Herr Minister.› ... Dann wurde ich verabschiedet, nahm mir ein Auto, ich war naß am ganzen Körper vor Angst, fuhr nach Hause und sagte meinem Diener, er solle mir einen Koffer packen, ich möchte für eine Woche oder zwei nach Paris. Am selben Abend verließ ich Deutschland und kam nie wieder.»[140] Über das französische Exil gelangte der Regisseur im Herbst 1934 nach Hollywood, wo 1936 mit dem Film *Fury* seine zweite Karriere beginnen sollte.

Marlene Dietrich wurde das Angebot, die «regierende Königin des deutschen Films» zu werden, im Sommer 1933 während eines Aufenthaltes in Paris unterbreitet. Seit 1930 in Hollywood tätig, war sie immer noch deutsche Staatsbürgerin und mußte in der Deutschen Botschaft ihren Paß verlängern lassen. Dietrich: «Ich ging allein in die Höhle des Löwen. Der Löwe

140 Erwin Leiser im Gespräch mit Fritz Lang. – In: Film und Fernsehen. – Berlin (1983) 8.

hieß von Walczek und war Botschafter von Hitlers Deutschland. Natürlich würde man meinen Paß verlängern, aber vorher habe er mir noch eine besondere Botschaft zu übermitteln: Ich solle nicht Amerikanerin werden, sondern nach Deutschland zurückkehren. Dafür versprach man mir wörtlich ‹einen triumphalen Einzug in Berlin durch das Brandenburger Tor› ... Die Antwort, die ich dem Hitler-Regime gegeben habe, ist wohl allgemein bekannt.»[141] So mußte Goebbels schließlich aus Schweden Zarah Leander importieren, die fortan als «Ersatz-Marlene» des NS-Films agierte.

Doch jene Regisseure und Schauspieler, die Deutschland den Rücken kehrten, waren in der Minderheit. Die meisten Filmschaffenden blieben in Berlin und arbeiteten im Gefüge von Goebbels' «neuem deutschen Film». Mit der später so oft zu hörenden Beteuerung, ja «nur in unpolitischen Unterhaltungsfilmen» mitgewirkt zu haben, übersahen sie, daß sie damit – gewollt oder ungewollt – zu Trägern eines Programms wurden, in dem gerade die Unterhaltung mit ihrer Funktion der Ablenkung von den tatsächlichen Vorgängen im Lande staatspolitischen Wert zugewiesen bekam. «Das Regime hatte schließlich die Produktion der Unterhaltungsfilme ebenso fest in der Hand, wie die Filme mit politischem Inhalt», schreiben dazu Courtade/Cadars.[142]

Mag man hier noch einräumen, daß so mancher Regisseur und Schauspieler dies nicht durchschaute und tatsächlich glaubte, in einer unverfänglichen Nische weiterarbeiten zu können, so war die Mitwirkung an den eindeutigen NS-Propagandafilmen nun tatsächlich das bewußte Sich-in-den-Dienst-Stellen. Bedeutende Protagonisten der zwanziger Jahre haben dies, vor allem in späteren Jahren, getan: z.B. Werner Krauss in *Jud Süß* (1940) und Emil Jannings in *Ohm Krüger* (1941) an herausragender Stelle. Doch dieses Programm lief nicht erst mit Beginn des zweiten Weltkriegs an. Schon 1933 produzierten die Ufa und die Münchener Bavaria im Auftrag ihres neuen Dienstherrn Propagandafilme in nicht geringer Anzahl. *Hitlerjunge Quex* (Regie: Hans Steinhoff, mit Heinrich George), *Hans Westmar* (ursprünglicher Titel *Horst Wessel*, Regie: Franz Wenzler, mit Paul Wegener) und *SA-Mann Brand* (Regie: Franz Seitz, mit Otto Wernicke) bauten den Mythos vom «heldenhaften nationalsozialistischen Kämpfer» auf; *Flüchtlinge* (Regie: Gustav Ucicky, mit Hans Albers) propagierte eine mit Antibolschewismus verknüpfte

Die Protagonisten der NS-Propagandafilme erhielten hohe Auszeichnungen. Die Aufnahme von 1939 zeigt die Verleihung einer «Goethe-medaille» an Emil Jannings durch Minister Goebbels.

141 Dietrich, Marlene: Nehmt nur mein Leben. – München, 1979. – S. 105 f.

142 Courtade, Francis; Cadars, Pierre: Geschichte des Films im Dritten Reich. – München, 1975. – S. 223.

Bevorzugter Besuchsort für Staatsgäste der Nazis waren die Ufa-Ateliers Neubabelsberg. Auf dem Foto, das 1938 während der Dreharbeiten zu *Eine preußische Liebesgeschichte* entstand: (von rechts) Vittorio Mussolini, Sohn des Duce, Willy Fritsch, der Präsident der Reichsfilmkammer Lehnich und Minister Goebbels.

«Heim-ins-Reich-Ideologie». Neubabelsberg hatte alle seine technischen Möglichkeiten mobilisiert, zur gleichen Zeit drehte im Nachbarstudio Carl Froelich *Der Choral von Leuthen* (mit Otto Gebühr), und Ludwig Berger vollendete – kurz vor seiner Emigration – *Der Walzerkrieg* (mit Willy Fritsch und Renate Müller). Damit wurde das Goebbels-Programm schon 1933 transparent: eine Mischung aus pathetischem NS-Propagandafilm, glorreicher Besinnung auf «große Zeiten» der Vergangenheit und brillant gemachter Unterhaltung.

Berlin blieb die führende Filmstadt Europas, auch unter den nun geänderten braunen Vorzeichen. Ob sich mancher der Protagonisten wohl gelegentlich – wie seine emigrierten Kollegen in den Studios von Paris, London oder Hollywood – an die Zeiten des *Caligari*, des *Letzten Manns* oder des *Mabuse* erinnerte, damals in Neubabelsberg...?

Literaturhinweise

Die Filmstadt Berlin der zwanziger Jahre wurde erstmals umfassend 1987 in einer Ausstellung der Stiftung Deutsche Kinemathek in Berlin (West) präsentiert. Dazu erschien das Katalogbuch:

Film ... Stadt ... Kino ... Berlin / hrsg. von Uta Berg-Ganschow u. Wolfgang Jacobsen. – Berlin (West), 1987.

Besonders den beiden Kapiteln «Kino-Marginalien» (Berg-Ganschow/Jacobsen) und «Berliner Ateliers» (Hans-Michael Bock) verdankt der Autor zahlreiche Anregungen und Fakten für dieses Buch.

Weiteres Material zum Thema findet sich bei:

In Berlin produziert: 24 Firmengeschichten / hrsg. von Michael Esser. – Berlin (West), 1987.
Jacobsen, Wolfgang: Erich Pommer: Ein Produzent macht Filmgeschichte. – Berlin (West), 1989.
Jason, Alexander: Handbuch der Filmwirtschaft. – Bd. 1–3. – Berlin, 1930–1932.
Kriegk, Otto: Der deutsche Film im Spiegel der Ufa. – Berlin, 1943.
Meßter, Oskar: Mein Weg mit dem Film. – Berlin, 1936.
Der Filmpionier Guido Seeber. – Berlin (West), 1979.

Drei zeitgenössische Bücher informierten über die Entwicklung der Berliner Lichtspieltheater:

Pabst, Rudolf: Das deutsche Lichtspieltheater in Vergangenheit, Gegenwart und Zukunft. – Berlin, 1926.
Schliepmann, Hans: Lichtspieltheater. – Berlin, 1914.
Zucker, Paul: Theater und Lichtspielhäuser. – Berlin, 1926.

Aus der großen Zahl filmhistorischer Darstellungen zum deutschen Film von den Anfängen bis 1933 seien die folgenden empfohlen:

Arnheim, Rudolf: Kritiken und Aufsätze zum Film. – Frankfurt a. M., 1979.
Brennicke, Ilona; Hembus, Joe: Klassiker des deutschen Stummfilms. – München, 1983.
Courtade, Francis; Cadars, Pierre: Geschichte des Films im Dritten Reich. – München; Wien, 1975.
Deutsche Spielfilme von den Anfängen bis 1933: Ein Filmführer / hrsg. von Günther Dahlke u. Günter Karl. – Berlin, 1988.
Eisner, Lotte H.: Die dämonische Leinwand. – Frankfurt a. M., 1975.
Fraenkel, Heinrich: Unsterblicher Film: Die große Chronik: Von der Laterna magica bis zum Tonfilm. – München, 1956.
Film-Blätter: Kurzmonographien zu klassischen Filmen / hrsg. von Rudolf Freund. – Berlin, 1974.
Gregor, Ulrich; Patalas, Enno: Geschichte des Films. – München, 1973.
Hätte ich das Kino! Die Schriftsteller und der Stummfilm / hrsg. von Ludwig Greve, Margot Pehle u. Heidi Westhoff. – Marbach, 1976.

Hembus, Joe: Klassiker des deutschen Tonfilms. – München, 1983.
Kracauer, Siegfried: Von Caligari zu Hitler. – Schriften Bd. 2. – Frankfurt a.M., 1979.
Riess, Curt: Das gab's nur einmal. – Hamburg, 1958.
Toeplitz, Jerzy: Geschichte des Films. – Bd. 1 u. 2. – Berlin, 1972 bzw. 1976.

Für die im Buch gestreiften Regisseure und Schauspieler seien aus der großen Zahl von Autobiographien bzw. Monographien die folgenden Titel genannt:

Atwell, Lee: G. W. Pabst. – Boston, 1977.
Belach, Helga: Henny Porten – Der erste deutsche Filmstar. – Berlin (West), 1986.
Dietrich, Marlene: Nehmt nur mein Leben: Reflexionen. – München, 1979.
Eisner, Lotte H.: Murnau – der Klassiker des deutschen Films. – Velber, 1967.
Goldau, Antje; Prinzler, Hans Helmut; Sinyard, Neil: Fred Zinnemann. – München, 1986.
Grafe, Frieda; Patalas, Enno; Prinzler, Hans Helmut: Fritz Lang. – München, 1976.
Hans Albers – Hoppla, jetzt komm' ich! / hrsg. von Otto Tötter. – Hamburg; Zürich, 1986.
Holba, Herbert: Emil Jannings. – Ulm, 1979.
Josef von Sternberg / hrsg. von Alice Goetz u. Helmut W. Banz. – Mannheim, 1966.
Lubitsch / hrsg. von Hans Helmut Prinzler u. Enno Patalas. – München, 1984.
Nielsen, Asta: Die schweigende Muse. – Rostock, 1961.
Seydel, Renate: Marlene Dietrich: Eine Chronik ihres Lebens in Bildern und Dokumenten. – Berlin, 1984.
Sinyard, Neil; Turner, Adrian: Billy Wilders Filme. – Berlin (West), 1980.
Siodmak, Robert: Zwischen Berlin und Hollywood – Erinnerungen eines großen Filmregisseurs. – München, 1980.
Sternberg, Josef von: Ich Josef von Sternberg. – Mannheim, 1956.
Töteberg, Michael: Fritz Lang. – Reinbek, 1985.
Youngkin, Stephen D.; Bigwood, James; Cabana jr., Raymond: The Films of Peter Lorre. – Secaucus, N.J., 1982.

Personenregister

Bildnachweis

ADN/Zentralbild, Berlin S. 6, 17, 29, 35, 37 (2), 39, 40 (2), 41, 42, 46 links, 47, 48 (2), 50, 54, 55, 56, 57 oben, 58, 68, 79, 82, 91, 93, 95, 96, 102, 103, 105, 106 (2), 108, 111, 117, 121, 130, 131, 132, 133, 134, 135
Akademie der Künste, Berlin 126
Archiv Schebera, Berlin 72, 110, 112, 114, 115 (2), 116, 124 (2)
Deutsche Staatsbibliothek, Musikabteilung, Berlin 101 rechts
Sächsische Landesbibliothek, Abt. Deutsche Fotothek, Dresden 97
Staatliches Filmarchiv, Berlin 22, 61, 101 links, 113
Ullstein Bilderdienst, Berlin 12 (2), 28, 31, 33 (2), 51, 52, 53, 57 unten, 63, 65, 67 oben, 70, 71 links, 78 (2), 85, 87, 89, 92, 98, 119, 123 oben

Sämtliche weiteren Abbildungen stammen aus zeitgenössischen Quellen der Jahre 1918–1933 (Bücher, Zeitschriften, Zeitungen). Die Vorlagen stellten freundlicherweise die Zentrale Filmbibliothek, Berlin, die Deutsche Staatsbibliothek, Berlin, sowie die Deutsche Bücherei, Leipzig, zur Verfügung.
Ausführung der Reproduktionsarbeiten: Viola Boden, Leipzig.